ちくま新書

政策起業家

――「普通のあなた」が社会のルールを変える方法

駒崎弘樹
Komazaki Hiroki

JN042859

1625

政策起業家――「普通のあなた」が社会のルールを変える方法【目次】

プロローグ

「あなたのような**政策起業家**にお会いできて光栄ですよ」

元朝日新聞社主筆で著名な評論家でもある船橋洋一氏は、ふかふかのソファに深く腰を下ろしながら言った。

うっかりジーパンとTシャツに二日酔い気味のボサボサ頭で、30歳以上年上の偉い人との対談に来てしまった僕は、ちょっと状況が飲み込めずに額をさすった。

「あなたはNPO経営者、つまり民間人の立場から、いくつも法律を変えてこられた。新たな法律を作ることに関わられたこともある。政治家や官僚でもないのに」

「あ、はあ。まあ、そうっすね。ええ」

我ながら、随分間の抜けた返事だ。駅からダッシュで走ってきたから、この対談の企画書もよく見てこなかった自分に頭突きしたい。そもそも昨日マッコリを飲みすぎていなければ……

「アメリカでは、そうした人々のことを、『政策起業家』(Policy Entrepreneur)と言うんですよ」

船橋氏はずっしりとした低い声で、それでいて微笑みを浮かべながらそう言った。

「官僚や政治家だけでは解決できない複雑な政策課題に向き合い、公のための課題意識のもと、専門性・現場知・新しい視点を持って課題の政策アジェンダ化に尽力し、その政策の実装に影響力を与える個人のことを『政策起業家』と呼びます。

アメリカでは自らシンクタンクを立ち上げたり、政策をセクターを超えて討議するフォーラムを設定し、その場に官僚や政治家を巻き込み政治的モメンタムを起こし、そして政策を実現したりする、という政策起業家がたくさんいます。

翻って日本では、シンクタンクが省庁の調査下請けかシステム開発会社になっており、ダイナミックな政策提案と政策実現の責を担えていない。

むしろ駒崎さんのような社会起業家が、政策起業家としての動きまでしているのではないか。こう僕は思うのです」

え、そうなの。

僕は今まで**フローレンス**というＮＰＯの経営者（格好良く言うと社会起業家）として、目の前の困っている人たちを助けるために、保育園や病児保育や障害児保育、特別養子縁組支援なんかの児童福祉をやってきた。

けれど目の前の人たちをその場で助けられても、困っている人はたくさんいて、自分たちの力だけじゃ足りなかったり、そもそも困っている人たちが生まれる社会的な構造があったりした。

そこで、困っている人を助ける事業者を増やすために法律を変えたり、困っている人を生み出す原因となっていた古臭い法律を変えたりしてもらう、ということをやってきた。

ビジネス業界の友人たちにそうした話をすると、みんな一様に驚き、怪訝な顔をして言った。

「え、何で駒ちゃんみたいな民間人が法律とか条例とか変えられるんだよ。それって議員とかの仕事のはずでしょ」と言う。

そして、

やれ「プロ市民」だから、

「ナチュラルボーン革命家」なんだよ、

いやそれはつまり「ロビイスト」ってことでしょ。と色んな（そしてあまり嬉しくない）呼称で僕のやっていることを理解しようとするのだが、そのうち興味もなくなって、「まあいいから飲めや」となるのが常だった。

そうか、自分は政策起業家だったのか。

そう言われてみると、そんな気もする。

「私は、政策起業家を増やしたいんですよ。この国は、激変する社会環境の中、往くべき道が分からず、右往左往している。かつてであれば、欧米にお手本があり、〝正解〟があった。そこに向かって、懸命に走ればよかった。しかし我々は世界で最も早く少子高齢化を迎え、経済は衰退し続け、どうしていったらいいかも分からない。官僚は疲弊し、優秀な若者はもはや官僚を目指さなくなっている。

選挙をしても政権は替わらず、選挙では社会は変えられない、という諦めの気分が蔓延している。戦後から大事にしてきた民主主義は高齢者の数が増えたことで、若者や子育て層の意見はどうやっても通らず、シルバー民主主義となって未来への投資よりも今の高齢者に予算が偏り、未来を押しつぶしてしまっている」

船橋氏は立ち上がった。そして高層ビルの中の会議室の窓から東京を一望し、もう一度言った。

「私は、政策起業家を増やしたいんですよ」

確かに彼の憂慮は理解できた。

もはや政治家や官僚だけに政策づくりを任せていて、回っていく日本ではない。現場の課題の当事者たち、専門家、技術者、そういった市井の人々が、自ら政策を考え、討議し、実現させていく回路を作らねば、いつまで経ってもその課題は放置され続けてしまうだろう。あるいは的外れでそれじゃない感満載の政策が、壊れかけの工場機械のように、次々と量産されてしまうだろう。

僕はこれまで「親子の課題」という自分の関心領域の中では、それなりの成果を残してきた。しかし当然、僕だけが頑張っても、無数にあるその他の日本の課題を解決していくことはできない。

そこかしこで政策起業家が現れ、課題解決のための回路である政策を実現していくことで、人々を不幸にする課題に、より素早く、よりきめ細かく、より優しく対応していく社会になれるのではなかろうか。

僕が僕の闘いの軌跡とそこから得られた知見を伝えることで、政策起業家が生み出されていく流れが創れれば。実は僕は自らの団体内で、政策起業家育成を始めているのだけれど、**「普通の人」が次々にこれまでなかった制度を生み出している。**だとするなら、社外においてもそうした人々を育てることは可能なはずだ。

そう信じて、語ることにする。

涙が出るような悲しい課題に対し、

笑ってしまうほどドタバタと、

驚くような政治行政の仕組みの中、

小さな個人が大きな変化を生み出せる奇跡の軌跡の話を。

＊本書は著者の体験した事実に基づきますが、一部政治的に支障がある場合は、内容を歪めない範囲で、人名や固有名詞等をぼやかしています。役職や地位などは，当時のままになっております。

第1章

小麦粉ヒーローと官僚が教えてくれた、政策は変えられる、ということ

Experience is worth comparable to huge money.
However, most people do not use their experiences to learn.

Benjamin Franklin

経験というのは、莫大なお金に匹敵する価値がある。
ただ、ほとんどの人が、その経験を学びに使わない。

ベンジャミン・フランクリン

「これっておかしくないっすか？」

その瞬間、会議室は時間が止まったように音が消え、業務用の冷凍庫の中みたいに凍りついた。

ここはZ区役所の一室。「次世代育成推進法」という法律の行動計画を自治体ごとに、区民も交えて作ろう、という会議に僕は参加していた。2004年、17年前のことだ。

何かの法律ができると、それに従って自治体ごとに「なんとか行動計画」がつくられる。「なんとか行動計画」に従って、自治体がいろんな事業を行っていくわけなのだけど、この計画を作る時に、区民も入ってあれやこれや意見を言える場が催される場合がある。「委員会」とか「〇〇市民会議」とか、名前はそれぞれ違うけれども。我が国は民主主義に基づいているので、できるだけ市民の声は政策に反映した方がいい、というお題目に則って動いている。

そんな市民委員会の委員の一人として、僕は会議室に座っていた。当時はZ区に住んでいたし、「病児保育」という、子どもが熱を出した時に保育園に代わってお預かりするという事業を立ち上げようとしていたこともあって、子どもに関わる法律について勉強しておいた方がいいと思ったので委員に応募したのだった。もちろんZ区役所の人たちと仲良くなって、あわよくば仕事をもらえたらいい、という下心も多少、いや結構あったことは否めない。

Z区の役人の方々が、次々と発表をする。

「次世代育成計画の実現に向けて、保育課からは保育所の増設、延長保育の充実、一時預かりの強化等を●×万円で行ってまいります」

「児童育成課では、学童保育の充実のため、今年度新規で二カ所、学童をオープンしていきます」

などなど。ちゃんとやってるなぁ。

そして区民○△課の人が立ち上がった。

「区民○△課では、区民に子育ての楽しさ、その喜びを知って頂くために、年間予算800万円に基づき、**アン◎◎マンショーを開催**。近隣ファミリー層の集客を想定しております」

なるほどね。アン◎◎マンショーね。着ぐるみとか着ちゃってね。パンチとかして、バイバイキーン、みたいな。

　っておい。

　ちょっと待って。今なんて言った？

　800万？

　確かに小麦粉でできた食料品ヒーローの着ぐるみはキュートで子どもたちに大人気だ。でも、彼らがステージでパンチしたりされたりしても、「子育ての楽しさや喜び」を区民に知らせることにはならない。

　それに800万あったら、もっと実際に困っている人を助ける事業ができるだろう。

　そう思って僕は、冒頭のセリフを発した。委員の中で促される前に発言している人はいなかったので、みんなが振り返って僕を見ている。

「これ、**明らかにおかしい**ですよね。税金の使い方として。だって、子育ての楽しさを知ってもらう、ってバックリしすぎだし、それによって何が達成されるか曖昧だし、さらにその手法としてアン◎◎マンショーって、意味ないですよね」

区民○△課の課長らしき人が、色をなして反論する。

「いや、このショーは毎回人気で、たくさんの区民が来てくれてるんですよ！」

「たくさん人が来たから何なんです？　それとこの次世代育成法の目標とどう繋がってるんですか⁉」

いつの間にか和やかな会議室は闘技場になっており、司会の人になだめられ一旦収まったが、場は騒然となり、50代くらいの課長は25歳の僕を睨みつけ、苦々しい顔をしていた。

Z区の人と仲良くなって仕事をもらえるかも、なんていう僕の願望は粉々に砕かれて、会議室の端っこに転がっていた。

やってもうた。余計なことを言わなければよかった。昔っから学校でも先生に余計なことを言ってつまみ出されていた。

大人しく座っているということができない。納得いかないことがあると、すぐに「それっておかしくないすか？」と突っ掛かっちゃう。今までの人生で、そうやってトラブルを起こしてきたのが多分100回くらいある。今日が101回目だ。

会議が終わった。委員同士、「これからお茶でもどうですか」とか、「あのご発言は良かったですね」なんて和やかに会話している声が聞こえる。僕のまわりには、腫物に触るように、誰一人近寄っては来ない。

しょんぼり資料をカバンにしまい、帰ろうと立ち上がろうとした時。

僕の肩に手を置いた人がいた。

何度か話したことのある、どこかの課の課長さんだ。太い眉毛のどっしりした体格で、手も重い。彼は僕の耳元で言った。

「よく言ってくれた」

へ？　僕は彼を見た。

「俺もあの政策は馬鹿らしいと思ってたんだよ。意味がない。税金の無駄だ。でも隣の課だし、領空侵犯しちゃいけないから、何も言えなかったんだ。あんたにゃ悪いけど、スカッとしたよ」

僕は狐につままれた気分になった。同じZ区の中の人でも、全員が全員、Z区のやっていることに賛同しているわけではないのか。

その数カ月後。

太眉課長から連絡があった。

「なあ、以前あんたが突っ込んだ、あの馬鹿らしい着ぐるみショーあっただろ？　あれさ、

来年度からなくなったよ。庁内でも評判悪くなってさ。お手柄だな！　クックック……」

びっくりした。

Ｚ区の総予算は数千億円なので、その中の８００万なんて、大きな湖の中のコップ一杯の水みたいなものだ。

でも、たかが25歳の僕が、**大きなＺ区の政策を、コップ一杯分でも変えられた**なんて。そしてそのコップの水は、どこかで枯れそうな木に注がれて、その木に緑を取り戻したかもしれない。

この小さなアン◎◎マンショー事件は、**僕の後の人生を決める、大きな成功体験**となった。

小さな個人でも、政策を変えられる。そう信じさせてくれる機会だったのだ。ありがとう、小麦粉食料品ヒーロー。

†霞ヶ関のゲームのルールを知る

２００７年、僕は緊張していた。

福田（康夫）内閣が「社会保障国民会議」という有識者会議（審議会）を立ち上げ、その分科会である「持続可能な社会の構築（少子化・仕事と生活の調査）」分科会の委員に選ばれたのだ。

周りは僕以外、全員60代以上と思しき、大学教授や専門家の方々が20人近く。長机が細長く並べられ、つぶれた楕円のような配置になっており、委員たちの後ろには、各省庁の官僚、マスコミの記者の方々が椅子だけの席に座り、「どんなに細かいことも聞き逃さないぞ」というようにペンを構えていた。

Z区の小さな市民委員会とは、ものものしさの桁が違う。国全体の社会保障の行く末について話し合うのだから当然といえば当然だが、僕は始まる前から帰りたくなっていた。

定刻通り、会議は始まる。議事進行役を務める内閣府の官僚が、会議の趣旨を話し、各委員に自己紹介を促した。高齢の教授、専門家、労働組合の幹部の人の自己紹介が続き、僕の番になった。それまで資料に目を落としていた何人かの委員と、後ろの席のメディアの記者の人たちが、こちらに視線を向けた。

僕はしどろもどろになりながら言った。子どもが熱を出したり、風邪をひいたりした時に、普通の保育園は預かってくれず、そのためワーキングペアレンツは大変困ってしまい、特に母親は仕事と子育ての二者択一を選ばされてしまうこと、それを防ぐために、保育園に代わって熱を出した子どもを預かる「病児保育」を行うNPO法人フローレンスを起業したことを。社会保障は基本的には国が整備していくものだが、国だけではそうした制度の狭間に落ちた人々は助けられない。よって、民間の立場から貢献できることはあるのだ、といったことなどを。

そんな自己紹介しただけでもう疲れてしまい、ビールが飲みたくなってしまったが、そこから太腿くらいの厚さの資料を怒濤のように議事進行役の官僚に説明され、それに対して各委員からコメントが発せられていった。

国の社会保障の問題に、コメントする知識など、ない。うっかり意見を求められたら、「こりゃヤバいっすね」とかしか言えなさそうだ。

置き物のように黙って会議が終わるのを待ち、そして会議が終わった。

既に第1回目にして、僕は激しく後悔していた。どうやったら2回目に来ないで済むか、を必死に考えていた、その時。

「駒崎先生、駒崎先生、はじめまして。私、経済産業省のUと申します」

そう名刺を突き出してきた人がいた。

Uさんは僕が慌てて名刺を出すより先に矢継ぎ早に言った。

「ぜひ一度、**ご説明に上がらせて頂けたら、**と思うのです」

そうか、委員だから「先生」なのか。何だか気恥ずかしい。でも、「ご説明」って何だろう。

「あの、ご説明っていうのは、何をどう説明してくれるものなんでしょうか……」

「はい、その辺りも、直接。はい、伺って、個別で」

ということで、結局Uさんは僕の職場にまで押しかけて、ではなくお越しくださって、「ご説明」をしてくださったのだ。

「先生、日本の社会保障は危機的な状況にあります。日本の財政は税収がこれだけなのに対し、支出はこんなにも。特に支出に占める社会保障の割合は大変大きなものがあるのです。社会保障費の削減のためには、積極的な民営化が必要です。医療・介護・福祉・保育などなど、どんどんと企業が参入していくことで競争が生まれ、無駄がなくなってコストが減っていくのです。今回の社会保障国民会議においても、そうした民営化を推し進める方向性を打ち出さなくてはならないのです。しかし、事務局である**厚労省は、そうした民営化には非常に後ろ向きです。彼らが抵抗勢力になっている**のです」

「ふむふむ、そうなんですね……、って、Uさん、政府の人なのに、同じ政府の役所を批判していいんですか？」

Uさんはキョトンとして、

「ええ。私は経済産業省なので。厚生労働省とは違います。彼らときたら……」

とひとしきり規制の厳しさ、そしてそれによって如何に民間参入が妨げられているか、をまくしたてたのだった。

驚きの経験だった。**同じ官僚と言っても、省庁が違えば、全然考え方が違う**。企業でたとえたら、キリンビールとソニーみたいなものだ。同じ政府、という感覚は特にないらしい。

「……そういうわけなので、先生には、ぜひ保育分野における積極的な民営化についてご発言いただけたら、と思うわけでございます」

Uさんのメガネの奥がキラッと光った。どうやらUさんは、僕にUさんの重要だと思うこと、経済産業省が重点的に進めたいことについてポジティブな意見を言ってほしいようだった。

なぜだろう。

「それは先生、私は委員にはなれませんからね。ご発言されて議事録に載れば、事務局も無視できません。いくつも同様の意見が投げ込まれれば、取りまとめや答申にはそうした趣旨の文言が載ります。**文言があれば、それをもとに次の政策がつくられます**。取りまとめになんの記載もない方向性を打ち出したり、関係ない政策を行うことはとても難しいんです。正統性がないですからね。あくまで我々は、国民の代表たる政治家と政府が集めた、専門家や有識者の話し合った内容を取りまとめて、それに基づいて個別の政策を作っていく、という建前になっているのであります。民主主義国家ですので」

そうか、だからUさんは必死に僕にアイデアを売り込んでいるのか。後々こうした作業を「**振り付け**」と呼ぶことを知ったのだが、Uさんは民間で事業をしている僕が思想的に近いだろうと踏んで、振り付けようとしていたのだった。

†政策を売りこむメカニズム

振り付けられるのはシャクだった。僕は操り人形ではないし、経済産業省の手先でもない。でも、彼らの言っていることにもある程度納得できる自分もいた。保育業界だけでも、なんでこんな意味のない規制があるのだろう、と思うことがいっぱいあった。とはいえ、規制が全く要らないのかと言うと、そう言うわけでもなかった。やはり子どもの命を守る規制はなくてはならない。百パーセントの同意はできないけれど、6割くらい同意できる。さてどうしよう。

「そうしたらUさん、こういうのはどうでしょうか。おっしゃるように無意味な規制はどんどんとなくしていくべきだと思います。そうした方向性で僕も頑張ってみます。ただ、その代わりと言ってはなんなのですが、厚労省の事業のうち、これこれの事業が本当に効果を発揮しているのか確かめたいんですね。僕だとデータが手に入らないので、取り寄せてみてもらえませんか？」

「畏まりました。調べてみますね。では、ご発言のほど、よろしくお願いします」

ディールが成立した。僕はUさんの話の中で納得できる部分だけピックアップして発言し、その代わり僕が政策提言したいことに必要なデータや資料を調べてもらうことになった。さらには、Uさんに、どのように審議会や有識者会議で振る舞うべきなのか、を家庭教師してもらうことになった。

仲良くなると、彼はなんでもあけすけに教えてくれた。

「学者の先生の中には、**審議会の委員になるだけで満足しちゃう人**もいるんですよ。プロフィールにそれっぽく書けますからね。でもそれじゃあまるで意味がありません。全然世の中を動かさないですよ。審議会で発言する。そしてそれがちゃんと答申なりに盛り込まれる。盛り込まれて次の計画やら事業やらに反映される。それがちゃんと現場で成果を出して、翌年も予算がつく。そうやっていって初めて、政策が動くんですよ。長い時間、フォローしていかないといけません」

「なるほど。どういう意見なり提言を、官僚たちは実現したい、と思うんです？」

Uさんはふーむと考えて言った。

「それは、その省庁や担当者によるんで、これって言うことは正直難しいんです。でもね、これは言えるんです。**私たちだって、社会を良くしたい、って思っているんです。本気で。**じゃなきゃこんな安月給でこんな長い時間働いてないですよ。世の中を良くしたい、変えたくて試験を受けて霞ヶ関の門をくぐったんです。だから、『ああ、これは本当に世の中良くするな』っていうアイデアがあったら、それを実現したい、とは思いますよね。

でも、有識者の先生の言うことって、多くが抽象的だったり、それどうやってやるわけ？　っていうようなことも多いんです。**実践しづらい**っていうか。理想論というか。

そうじゃなくて、ちゃんと具体的にこうすればいいんだ、っていう風に出してほしいですよね。できれば、やってる現場を見せてもらったりできると更にいいです。こうやってやればいいんだ、って体感できますからね。

上司に言われるんですよ。何か思いついても、『それ、どこでやってるんだ？』って。『いや、僕が考えまして……』なんて言ってごらんなさい。『それはお前の頭の中では成功しているかもしれないが、そんなことに国家予算は使えないんだよ。失敗したら、誰が責任取るんだ』って絶対返ってきますよ。

だから、**小さくてもすでにやってたりするといいですね。日本でなくても、外国に実例がある、とかでもまあいい**ですね。その国に見に行けばいいですし。まあ見なくても『イギリスでは既にやってますからね』なんて言えばいいんです。黒船作戦とかって言いますが」

こんなやりとりを重ねていって、僕は審議会や有識者会議といったコロシアムでの戦い方を覚えていったのだった。

いや、審議会の戦い方だけではない。どうやって政策を官僚や政治家に売り込むのか、ということ自体のメカニズムを教えてもらったんだと思う。

そしてそれは、意外にもすぐに実践にうつされることになる。

第2章

「おうち」を保育園にできないか？
小規模認可保育所を巡る闘い

The reasonable man adapts himself to the world;
the unreasonable one persists in trying to adapt the world to himself.
Therefore, all progress depends on the unreasonable man.

George Bernard Shaw

物分かりがいい人間は、自分を世界に合わせようとする。
物分かりが悪い人間は、世界を自分に合わせようと躍起になっている。
ゆえに、物分かりが悪い人間がいなければ、進歩はありえない。

ジョージ・バーナード・ショー

「代表、私、**職場に復帰できなくなりました**」

と中村優子さんは言った。

僕は持っていた携帯電話が自分の手から滑り落ちそうになるのを必死にこらえ、聞いた。

「どどど、どうしてさ⁉　むー（中村さんの愛称）、俺のこと嫌いになっちゃった？　泣いちゃう。俺、泣いちゃうから！」

「いいおっさんが『泣いちゃう』って全く可愛くないですよ。いや、そういう話じゃなくて、**子どもが保育園入れなかった**んです。戻りたくても戻れないんです。こっちが泣きたいですよ」

中村さんは、学生インターンとして我が社フローレンスに入ってくれた。インターンだけのつもりが、内定した都市銀行を蹴って、あろうことか立ち上げたばかりの吹けば飛ぶようなNPOに新卒で入社してしまった、思い切りのいい、よすぎるかもしれない若手女性社員だった。

記念すべく初の新卒社員として、若いながらも大活躍してくれて、創業期の大変な時期を支えてくれたのだった。

そのうちめでたく結婚し、出産。育休を取って、戻ってこようという矢先の話。僕は慌てた。当時、社員数は少なかった。1人戻ってこれないだけで、大損害だ。彼女の戦力を見込んで、前のめって立ち上げたプロジェクトをどうすればいいのか。

「そんな、何だよ、『保育園入れない』って⁉　ガチであり得るの？　そんなこと」

2008年当時、「待機児童問題」は今ほどメジャーではなかった。保育関係者として、その存在は左脳では知ってはいたが、まさかこんな近くで現実に起きるとは。

「ごめんなさい……」

中村さんは、電話口で泣いているようだった。中村さんが悪いわけでは百パーセントないのに。なんていう理不尽だろう。

「よし、保育園をつくろう」

とっさに言葉の方が勝手に口から出てきた。

「え？」

「いや、うちには病児保育のスタッフがいる。そうしたら、保育園をつくって、むーの子どもも預かってあげられると思うんだよね。そしたら戻ってこられる、と」

「でも……」

不安そうな中村さんを尻目に僕は気づいたら職場を出て、区役所にダッシュで向かっていた。

†定員20人の壁

「認可保育所をつくるには、この要綱の基準を全てクリアする必要があります……」

と窓口のおじさんは心底面倒臭そうに、僕に説明してくれた。

確かにおじさんが面倒臭くなるのも分かるくらい、**たくさんの規制**が並んでいた。子どもの1人当たりの面積はこのくらい、それは年齢によって変わっていき、部屋はこの種類の物がいくつなくてはいけなくて、出口は2カ所以上でその方向は別々の方向になくてはいけなくてエトセトラエトセトラ。

その中でも目をひいたのは、**預かる子どもの数が20人以上いなくてはダメ**だ、という基準だった。

僕はとりあえず中村さんの子どもを預かりたかっただけなので、もっと少人数で良かった。そんなに**いっぱいの子どもを預かる場所は、東京のど真ん中のこの辺りにはあんまり**

ないし、空き地も転がっていない。

規制もいっぱいあるし、大人数を預からないといけなくて土地もない、物件も高いという状況では、待機児童問題が起きるのも当たり前のような気がした。そうか、だから保育園って足りないんだ。

「すいません、この20人以上っていう基準？ は何とかならないんですかね？ もっと少なくてもよければ、ほら空き家とか、空いてるマンションとか、そこら中にありますよね。そういうところで保育園ができるし」

役所のおじさんは呆れた顔で言った。

「どうにかならないです。基準は全てクリアして頂きますよ。保育園は保育園だから、家だのマンションだのでできるわけがありませんよ。ちゃんとした土地か物件をしっかりご用意ください。はい、以上です」

半ば追い出されるように僕は役所を出た。

でも、**なんだって20人なんだろう。**

20に何か人間工学的な合理性が潜んでいるのか。僕の知らない、学説か何かがあって、子どもが20人以上集うことで教育的な効果が最大化される、みたいなことがあるのだろうか。

いくらググっても、そんなマニアックなことは出てこない。

誰が知ってるんだろう。

†「昔からそうだったんで」

思い当たったのは、厚生労働省だった。だって保育の担当は厚生労働省だから。そこで厚生労働省に電話してみた。保育課、というズバリな名前の部署に回された。

若い生真面目そうな声の男性官僚が出た。

「こんにちは、私、NPO法人フローレンスの駒崎と申します。かくかくしかじかなんですが、なんで認可保育園の定員数は20人以上じゃないとダメなんですか?」

しばし、無言。

その後、「んーーーーーーーーーーーーー」というどこから出してるか分からないが、多分何かを考えているような声だけが受話器から漏れ出てきた。

あまりにも「ん」が長いので、自分がイタ電をかけてきた中学生か何かだと思われているのではないか、と不安になり始めた時、その若い官僚の人は言った。

「あの」

「はい」

「昔から、そうだったんで、従ってください」

「え？」

「昔から、そうだったんですよ」

「はい」

「だから、ね」

「はい」

「そういうことなんで。失礼します」

ガチャ、ツーツー。

「あー、なるほどそうかー！　昔からそうだったんだよねー。やっぱり！　それはすごい!!　すごく納得できた!!!」

って、そんなわけあるかい!!!

なんじゃそれ。理由になっとらんがな。

いや、でも待てよ。ははぁ、これは「理由がない」んだな。

20人以上じゃなくてはならない、人間工学的理由も、合理的理由も、きっとないに違いない。ただ、どこかの昔にそう決めただけ、とか、なんとなくそうだった、ということに違いない。厚生労働省の官僚も知らないくらいだ。たいした理由なんてないんだろう。

だったら、従う必要なんて本当はないのでは？

もしこの「20人の壁」を取っ払えれば、そこら中にある空き家やマンション、小さな物件を保育園に変えられる。そうしたら保育園をたくさん増やせ、中村さんのような待機児童で困る親子を助けられる。

心に火がついた。

僕は無意識に、かたっぱしから話を聞いてくれそうな政治家にアポを取り始めた。

†偉くなってた知り合いのおじさん

「ふーむ」

松井孝治さんはカレーを食べながら、言った。

僕は出されたカレーに全く手をつけられないでいた。首相官邸という場所に、ものすごく緊張していたからだ。

松井さんは、以前、京都の講演会に僕を講師として呼んでくれた、上品で優しい政治家のおじさんだった。

「公を政治家や官僚だけで担う時代は、既に終わったのです。公を多くの人々が担っていく。そうした〝新しい公共〟の形をこそ、私は創りたい。駒崎さんはそれを体現されていると思う」とベタ褒めしてくれた。

褒められて調子に乗って、久しぶりにアポを取ってみたら、来いと言われたところは**首相官邸**。ガラス張りの上に、見たこともないくらい天井が高い。

その奥に官房副長官室という部屋があり、そこでカレーを食っている、というわけだった。

総理の女房役、会社で言ったらCOOが官房長官だとしたら、その官房長官の意向を受けて各省に指示を出したり政策をまとめたりする立場が官房副長官で、めちゃ偉いのだった。松井さんは、つい最近そのポジションになったばかりだ。

「待機児童を減らすのは、政府にとっても良い話だと思います。試しに、この空き住居を使った小さな保育園、ということを実験してみることを許可頂けたら、と思います。うまくいったら全国に広げればいいし、ダメだったらダメということで……」

僕の提案をカレーを食べながら聞いていた松井さんは、冒頭に書いたような「ふーむ」という言葉の後、簡潔に言った。

「面白いね。ちょっと厚労省に検討させてみるよ」

その後数週間で、早速厚労省から事務連絡の紙が届いた。

国から自治体に発出した「NPO法人等を活用した家庭的保育の試行的事業」についての事務連絡だった。

「家庭的保育」というのは「保育ママ」と言って、保育を行う1人の保育者が、3人の子どもを自分の家でみる、という形態の事業だ。**僕は新しいものが嫌いな厚労省が受け入れやすいように**、

「**この事業はまるで新しくなくて**、今まであった保育ママが、1人で3人みるんじゃなく、3人で9人みるだけなんです。ついでに自分の家じゃなくて、その辺の空き家でやるんです。運営は保育ママ個人じゃなくてNPOとかなんですけどね。**全然新しくもなんともないです**」

事　務　連　絡
平成21年10月30日

　　都道府県
各　指定都市　家庭的保育事業ご担当者殿
　　中 核 市

厚生労働省雇用均等・児童家庭局保育課保育係

「NPO 法人等を活用した家庭的保育の試行的事業」の実施について

　今般、緊急雇用対策本部において取りまとめた「緊急雇用対策」において、「NPO 法人等を活用した家庭的保育の試行的事業」を下記のとおり実施することとしたので、管下市区町村に対して周知されたい。

記

1　趣　旨

　家庭的保育事業は、都市部を中心とする待機児童の解消を目的に、保育所における保育を補完する保育サービスとして実施しているところであるが、家庭的保育者の担い手の不足などにより取組が進んでいないところである。

　そのため、地域におけるNPO 等を活用した家庭的保育事業を試行的に実施し、家庭的保育者の増加を図り、家庭的保育事業の推進を図るものである。

2　実施方法

　市町村から事業の委託を受けたNPO 法人や民間企業が、離職者等を雇用し、必要な研修を行い、保育所との連携の下、次の留意事項を遵守して家庭的保育事業を実施する。

（留意事項）

（1）試行的事業を実施するに当たって、次の事項については、「家庭的保育事業の実施について」（平成21年10日30日雇児発1030第2号厚生労働省雇用均等・児童家庭局長通知）の別紙　家庭的保育事業ガイドラインの内容に基づき実施すること。

　「守秘義務」、「対象児童」、「定員及び家庭的保育者等の配置」、「実施場所」、「保育時間」、「保育料」、「賠償責任保険」、「保育内容」、「家庭的保育者等の要件」、「研修」

（2）家庭的保育者に対する相談、指導、又は、代替保育等の支援を行うため、連携する保育所を確保すること。

3　事業に対する補助

　事業を実施する際は、各都道府県に設置した「安心こども基金」（地域子育て創生事業）を活用することが可能である。

国はこのような「事務連絡」や「通知」という書面を発出し、自治体に実行を促すという提案を厚労省には行った。それも効いたのか、すごいスピードで実験を許可してくれるような事務連絡を出してくれたのだった。

これでやれるぞ!! と飛び上がって喜んだわけだったが、そうは問屋が卸さないことを、この時の僕は知るよしもない。

†物件探しに暗雲

待機児童のメッカ。

そんなキュートなあだ名を冠されていたのが、**東京都江東区。僕の故郷**だ。

特に豊洲エリアは、待機児童の多さでは群を抜いていた。僕は豊洲エリアに絞って街の不動産屋さんに物件探しを依頼した。これだけマンションだらけなんだから、空いている部屋なんてゴマンとあるだろう。

ところが、待てど暮らせど物件が来ない。どうしたんだろうと電話してみると、

「お客さん、保育園で使うなんて聞いたことがないって、オーナーさんはみんな嫌がってるんですよ」

そ、そんな……。いきなり頓挫かよ……。鎖付きの鉄球を足にはめられたような気分に

なりながらトボトボ歩いていると、明るい色のデザイナーズマンション的なカラフルな大規模マンションに出くわした。

「キャナルコート東雲」UR都市機構[1]

と書かれた入り口の看板を見て閃いた。

「そうだ、URだ！　URって確か昔の公団で、半官半民的なところだったよな。そしたらこういう社会的な事業について、関心を持ってくれるかもしれない」

早速知り合いのつてを辿って、URの方と繋がった。Qさんは痩せてはいるが精悍な眼差しを持っていて、一瞬でやり手であることが窺えた。

「我々も、普通にタワーマンションをつくっているだけだと、民間デベロッパーと何が違うのか、ということになってしまいます。こうした社会問題の解決こそ、我々がやっていかないといけないことだと思うんです。上と掛け合ってみます」

そう言ってくれたのだった。

1　2004年、都市基盤整備公団と地域振興整備公団の地方都市開発整備部門が合併して設立。独立行政法人。

それから少し経って、Qさんから連絡があった。

「例の件、上からGOが出ました。物件もちょうど良いのがありました。やりましたね」

思わずガッツポーズを取った瞬間だった。

†動かない自治体

「あなたね、**試行的事業って、保育を一体何だと思ってるんですか**。厚労省も厚労省だ。いつも訳のわからないことを言ってくるんだ」

江東区の保育課長は僕に言った。僕は勘違いしていた。厚労省がやろうって言ったら、自治体は「うん、やろう」となるのかと思っていた。ピラミッドで言ったら、厚労省が頂点にあって、自治体はその下、という構図だと思っていたのだ。

しかし全く違っていた。**地方自治法によって、国と自治体は対等な関係**になっていて、国は自治体にあれこれ命令することは原則的にできなくなっていた。あくまでメニューを提示して、それをやる、やらないは、自治体の選択、という構造になっているらしい。

そんなわけで厚労省がOKしても、江東区がOKしなければ、この試行的事業はやれないのだった。

「子どもが毎日通う、大切な保育園ですよ。それを試行的事業とか実験って。失敗したらどうなるんですか」

課長の言わんとすることも、分からなくはない。保育環境の安全性を重視したい気持ちは真っ当だし、失敗して区民が困るのが嫌なのも、今では理解できる。まずはその気持ちをしっかりと受け止め、一つずつ丁寧に心配事を潰していけばよかったのだ。

しかし**僕は当時、若かった**。

「あの、言わせてもらいますけど、その大切な保育園が不足して、みんな困っているんですよ。江東区はそれに対して、何もできてないですよね？　どうやって待機児童問題を解決するって言うんです⁉」

課長は色をなした。

「わ、私たちは認可保育園と認証保育園だけで、待機児童を解消できる。こんな新しい事業は必要ない。今年も何園もつくるわけで」

「いや、それじゃ足りないからこのザマになってるんでしょ？　新しいやり方を試す前から、なんで可能性を潰すんですか。突破口になるかもしれないわけで」

課長のメーターは振り切れた。

「と、とにかく、認めないですから!!」

国もOK、物件も見つかったのに、僕たちの船は完全に暗礁に乗り上げてしまった。

†区議会まわり

役所が動いてくれない場合、どうしたらよいのか。

じゃんけんで言ったら、役所がグーだとしたら、パーは何なのか、と考えると……。

「そうだ、**地方議員**だ」と閃く。

地方議員[2]は、自治体の動きをチェックし、できていないところを批判し、こうしたら良いと提案し、役所がより住民に対し効果的に行政を行うようにお尻を叩く人たちだ。市区町村議会議員や、都道府県議会議員である。

こういう時こそ、力になってくれるのでは……。

そう思って、自民党、民主党、公明党……といろんな党を回ってみた。

知り合いの国会議員の知り合いの江東区議会議員（区議）さん、知り合いの江東区民の知り合いの区議さん、というようにつてがある人はつてを辿って、なければホームページの連絡先に連絡してみる。

区議さんに話をするのは、緊張した。[3]

「**動いてあげるから、パー券買って**」とか池袋のチーマーみたいなこと言われたらどうしよう、とビビっていたのだ。

しかし、会ってみると皆さん普通のおじちゃん、おばちゃんで、

「ふんふんそれはいかんね。待機児童で困っている人はいっぱいいるのに」

「それじゃあ私が課長にもうちょっと柔軟に検討できないか、言ってみるよ」

と口を揃えて言ってくれるのだった。

ある区議さんから副区長さんを紹介され、彼の前でも同じことをプレゼンした。難しい顔をしていたが、最後は「うん、大切なことだから、やってみたらいいでしょう」と言ってくれた。

2 日本は、自治体の長（首長）と首長をチェックする地方議員を選挙によって選ぶ、「二元代表制」を採っている。

3 地方議員さんへのコンタクトの仕方は、作中にあるようにツテがあればツテを辿れば良いが、なくてもメール等で連絡を取れば、割と気軽に会ってくれる。ただ、連絡内容はきちんと自分が解決してほしいことをわかりやすい文章で書いておくことが必要だ。まともじゃない人と会いたくないのは、地方議員でも一般人でも同じである。

ようやく重い扉が開いたのだった。

ちなみに、パー券を買わされることは、もちろんなかった。

†集まる保育士さん

保育園を始めるにあたって最も重要なファクターは、良い保育士を集められるかどうか、だ。しかし、当時から保育士の採用は厳しいものがあった。

立派な園舎を持つ保育園ではなく、マンションの一室。大きな保育園ではなく、9人の小さな保育園。そんな悪条件の中、はたして保育士さんたちが来てくれるのだろうか。

……という心配は一瞬で吹き飛んだ。求人記事に対し、続々と応募が来たからだった。


「な、なんでうちに……!?」

思わず僕は面接で聞いてしまった。自分で募集したくせに、信じられなかったからだ。

「はい。大きな保育園だと、担当する子どもたちの数も多くなります。**一日保育していて、一度も声をかけられない**子どももいました。そういう時に、本当に胸が痛くなるんです。もっと手厚い保育がしたい。もっと子どもたちに寄り添いたい。ずっとそう思ってきました。ここでなら、9人の定員なら、私が理想としてきた、丁寧な保育ができると思って！」

そんな風に給食担当の栄養士も含めて、5人のスタッフがすぐに集まってくれたのだった。

やってみなければ分からないものだ。当初一番難しいのでは、と思われたハードルは難なく越えることができた。

しかし、意外なところから暗雲が立ち込めてきていた。

✝近隣住民という名の障壁

「大変申し上げにくいのですが、近隣住民の方で1世帯、連絡が取れないご家庭がありまして」

URのQさんが憔悴しきった顔で僕の前にいる。

「えっと、連絡が取れないってことは……？」

鉛の玉を吐き出すように彼は言った。

「**開園はできない**、ということになります」

マジか。

URのポリシーで、特例的に保育園を開設するからには、その住戸のお隣の2つの家庭、上下の2つの家庭、合計4家庭に許可をもらわないといけないそうだ。

4つのうち、3つまではURの方が挨拶に行ってOKを頂けたようだが、上の階の家庭だけは共働きのカップルということで、日中は家にいないらしい。

「ちょっと待ってください。開園できなかったらめちゃくちゃ困ります。もう、利用者の方々も集まっているんです！」

実際に利用家庭は、子どもの定員9名の枠に対し、20人以上分も集まっていた。

「仕事をやめないといけないと思っていましたが、救われました」

「認可園では落とされてしまって。本当にありがとうございます」

などと言ってくれているのだ。そう、**彼女、彼らの生活がかかっている**。

今は2月中旬。ここで許可が取れなければ、4月1日の開園は絶望的だ。

「僕が、何としてでもそのカップルに会います!!」

そう言って席を立った。

†張り込みの日々

僕はその日から来る日も来る日も、上の階のカップルの部屋に通った。朝、夕方、夜、時間帯を変えて訪問し、ピンポンを押して反応がなく、部屋の前で待ち伏せをした。しかし長時間の張り込みで近隣の方々に警察を呼ばれそうになったため、張り込んでは戻り、また張り込んでは、ということを繰り返した。

2月も終わりになりそうな寒い夜、僕は張り込みながら、急にボロボロと泣けてきた。

「俺、何やってんだろう……」

あまりにも自分が情けなかった。

張り込んでも一向にカップルと会えず、仕方がないから手紙を書いて、郵便受けに差し込んだ。下の階の住戸を保育園にしたいこと。保育園は日中しか開いていないので、日中働いていたら音は気にならないだろうこと。待機児童がいっぱいなこの地域で、困っている家庭を助けられること。だから協力してほしい、と。

3月に入り、URのQさんから電話があった。

「あのカップルから、手紙を見た、と連絡がありました！」

「で、なんて⁉」

Qさんは言いづらそうに、

「〝**嫌だ**〟ということでした」

と告げた。

終わった……。僕はその場で携帯電話を落とし、恥ずかしげもなく、地べたに突っ伏したのだった。

†諦めたらそこで

心が折れた。

これから子どもを産むかもしれないカップルだから、きっと分かってくれる。そう信じていた。しかし、それは単なる幻想だった。普通に暮らす人々にとって、社会の課題解決なんてどうでもいいことだし、**保育園は迷惑施設**なんだろう。

9世帯のお母さん、お父さんたちに、土下座しに行かなきゃ。

5人の保育士・栄養士たちになんて言おう。

そんなことを考えていたら、布団から起き上がれなくなっていた。

食事も喉を通らず、何をする気にもならず、気付いたら布団の中で夕焼けの西陽を浴びる日を何日か送った。

ブブッブブッ。

携帯が鳴っている。何回も鳴っていたけれど、誰とも話したくないから放置していた。

しかしあまりに長く鳴るので、布団に寝っ転がりながら取った。

「あ、やっと繋がった！　駒崎さん、Qです」

今一番話したくない、死刑宣告した当人からだった。心から電話を取ったことを後悔した。

「物件の件、あの後、死ぬ気でもう一回探したんです」

はいはい、こっちはもう死にかけてるっちゅうに。

「そうしたらですね、ほとんど使ってない集会所がキャナルコート東雲内にありましてね。ここで一時的に開園して、しばらく保育園として使う、というのはどうでしょうか？」

「え⁉」

「その間に新しい住戸を探して、また許可を取るんです。許可が出れば、移転して本開園するんです。同じマンションの中なので、移転もそこまで迷惑かけるものじゃない。ダメだったその住戸以外にも、他にも空いている住戸はあって、もう許可取りは始めています。**諦めるのは、まだ早い**んじゃないですか？」

Qさんは僕が廃人になってベンチに下がっている間にも、ピッチに残って必死に闘っていた。試合終了のホイッスルがなるその瞬間まで、走り続けていたのだ。

僕は無性髭で覆われ、涙と鼻水でぐしゃぐしゃになった顔を洗いもせず、携帯を耳にあてたまま家を飛び出した。

「あぎらめるわけないじゃないっすか……。諦めだら、そこで試合終了でずもん……！」

†おうち保育園誕生

こうして僕たちの小さな保育園は２０１０年４月１日にキャナルコート東雲の集会所で仮開園した。おうちを使う予定だったので、「**おうち保育園**」と名付けられた。そのまんまだ。

慣らし保育に次々と来た親子の姿、笑顔の保育士たちの姿を見て、泣くまいと唇をずっと噛みながら耐えていた。

その後、無事に新物件の周囲の家庭から許可も得られ、5月26日に移転し本開園した。開園までの道のりは綱渡りで寿命が5年は縮んだが、物珍しさがウケてメディアからの取材は引きもきらなかった。

「空き住戸を活用したミニ保育園、待機児童のメッカに誕生!」

というわけだった。

9世帯の家族を救えたことに、心からの満足感と安堵の気持ちを覚えていた僕だったが、しかしこれで終わらせてしまってはいけないこともまた、知っていた。

それは病児保育で味わった、苦い苦い経験からだった。

†国にパクられるという栄誉?[4]

あれは僕が初めて手掛けた訪問型病児保育事業サービスインの少し前のこと。厚生労働

4　このセクションは私の処女作『「社会を変える」を仕事にする』(英治出版、のちにちくま文庫所収)から抜粋・一部手直しし掲載した。

省からメールがあった。

「いや実は、緊急サポートネットワーク事業という、名前だけ決まって中身がまだ詰められていない国の事業がありまして……。先日の新聞を拝見させていただいて、御社で始めようとされています仕組みが、イメージぴったりだと思い、ぜひ勉強させていただきたいな、と思いまして……」

3人連れの官僚の、一番職位の高い女性がそう穏やかに言った。物腰は柔らかく、口調は丁寧だ。僕は、自治体の公務員はどうしようもないけれども、国の役人ともなると違うな、と勝手に思い、求めに応じてフローレンスの仕組みの数々を説明した。「よかったら研修マニュアルなども参考までに送っていただけますか」とこれまた丁寧にお願いされ、こちらもかしこまって「喜んで送らせていただきます」と返答した。

その後2カ月ほど音信がなく、「あれはどうなったのかな」と思っていたころ、日経新聞の夕刊の一面に、どこかで見たような言葉が躍っていた。

「子どもが急病、まかせて出勤」

「子育てOBが出迎え」

どうやら、フローレンスの訪問型病児保育事業が、そのまま政策になってしまったようだった。

オフィスに電話がかかってくる。

「いやー、駒崎くん、おめでとう！　一面に君のやっていることが載っているね！」

「ああ、はあ」

お世話になっていた評論家の方に、僕は曖昧に笑った。

「いや、僕たちのことじゃないんです。国がやりだしたことで、僕たちはあまり、というか、まったく関係ないんです」

とはとても言えないくらいに喜んでくれている。

何か一言、言ってくれてもいいじゃないか。これでは、アイデアの横取りだ。

僕は厚生労働省に電話して、担当の人を出してもらおうとした。

「○○さんは、**異動になりました**」

官僚の世界では2年くらいのローテーションでポストが替わる。彼女もきっと、どこかまったく違う部署に行ってしまったのだろう。気を取り直して、新しい担当の人に事情を説明する。が、「おまえは誰だ」というような怪訝な態度だ。

「何か一言断るとか、制度設計の段階でもうちょっと一緒にやっていくとか、そういう関係であるべきではないでしょうか」

僕が電話越しにそう語りかけるが、とりあってもらえない。

「国は公正中立じゃないといけないので、どこか一つの団体を特別扱いするわけにはいかないんです」

「……」

あ、ありえない。

僕は激怒した。いろいろな人に愚痴りまくり、国の非道を嘆いた。いままで僕が汗と涙の2年間で築き上げてきたものを、たった1回のヒアリングでパクって、なんの感謝も示さないなんて！

しかし、介護業界のパイオニアである「NPO法人ケア・センターやわらぎ」の石川治江さんに相談すると一喝された。

「あなたは本当にケツの青い若造ね。その程度のことで何をグダグダグダ言っているのよ。そんなことは当たり前のことなのさ」

「当たり前って、どういうことですか」

「よいこと、介護保険制度ってあるでしょ。あそこで使われているケアマネジメントのプロセスであるとか、コーディネーターの仕組みとか、そういった全体の仕組みはね、やわらぎが一番最初に始めたことを国が視察に来て、介護保険をつくるときにパクっていって、制度設計したわけよ。福祉政策なんて、そんなもんなのよ。いつだって**志ある市民たちがリスクをかけて実例をつくる**のよ。それが**成功事例になったら国や自治体がそれを政策化して、世の中に広げていく**っていう寸法よ」

「そ、そういうもんですか」

「そうよ。むしろ**国にパクられて一人前**、くらいのもんじゃないの」

「で、でも、ビジネスの世界だったら、著作権とかビジネスモデル特許とかあって、先行者の利益が守られるわけですよ。でないと、創造しようとする人間が苦い思いをして、真似した人がおいしい思いをする。そうなったら、社会全体で創造が行われず、沈滞してしまうじゃないですか」

「ビジネスの世界じゃあ、そうねえ」

「でしょ。僕たちも一緒じゃないですか」

「本当にそうかしら」

「え、違いますかね」

「あなたの目的ってなんなのよ。あんたがしたいことって、何さ？」

「えっと、病児保育問題を解決して、『子育てと仕事の両立可能な社会』を実現することです」

「そうするとさ、病児保育問題を解決するんだったら、国にパクられたほうがいいじゃないか。そのほうが全国で取り組みが始まるんだもの」

「う、言われてみれば」

「あなたいますぐ全国行って病児保育やれるわけ？」

「いや、やれないっす」

「だったら、いくらでもパクらせてあげればいいじゃないの。むしろ神様、役人様、ありがとうございます、って拝まないといけないくらいさ。先行者の利益？　あんた利益のためにやってるんじゃないんでしょ。社会問題の解決のためにやってるんでしょ。何が利益だ、ケツの穴が小さい男だね」

「お、おす」

僕は恐縮し、己のケツの穴の小ささを反省したのだった。

それと同時に、**一個人が社会問題に対して小さな解を生み出し、それを国が政策化し、社会を変えていく、という回路が存在する**ことに大いに驚かされた。点としての問題解決が、面としての問題解決へと広がっていく。**世の中を変える、というのは絵空事じゃないんだ！**　と震えた。

†わざと国にパクらせる

しかし、この話には続きがあった。

緊急サポートは、厚労省が現場をよく分かってないままパクったことで細部の詰めが甘く、結果として地域で成果が出ず、なんと3年もすると廃止されてしまったのだ。

「ほれ見たことか。ざまあみろ」

という気持ちは不思議と起こらず、むしろ寂しい気持ちになった。

「今度こそは、ちゃんとした形でパクってもらおう」

おうち保育園を立ち上げた後に、僕はそう思った。おうち保育園に通う9世帯を救済するだけでなく、国策化してもらい、たくさんの家庭を助けたいと思ったのだ。

　そして、**政治家や官僚に積極的に視察に来てもらい**、対応することにした。

　できたばかりのおうち保育園に、たくさんのスーツ姿の政治家や官僚たちがやってきた。そこで僕は「今はこの仕組みは実験的な事業でしかなく、20人の壁があるが故にどこでもやれるものではない。しかし制度を変えることで、どこでもこうした小さな保育園ができることになる」と伝えた。

　そんなおうち保育園に最も興味を持ってくれたのは、当時の待機児童対策チームのリーダー、村木厚子さん[5]だった。

「なんでこんな簡単なことに気づかなかったんだろう。大きな保育園だったら作りづらいけれど、小さな保育園だったら作りやすいわよね」

　そう言って、当時の「子ども子育て新システム」という法案に、「小規模保育」という文言を入れ込んでくれたのだった。

　そして「子ども子育て新システム」は国会に送られた。通れば法案が法律となる。そうすればおうち保育園のような新しい取り組みも制度化され、全国でできるようになる。

しかし、そこは一筋縄では行かないのだった。

†国会で法案が通らないかも

「子ども子育て新システムが、国会を通らないかもしれない」

民主党政治家からそう連絡があった時に、嫌な汗が背中を流れた。子ども子育て新システムの中で謳われていた「幼保一体化」に、当時野党であった自民党が強烈に反対していたためだ。

おうち保育園がモデルになった小規模保育については、特に与野党とも反対していなかったが、法案というのはパッケージなので、一部に気に入らない部分があれば、法案全体に反対、という形になる。

法案は国会を通過して初めて法律になるのだが、国会を通らなければ、そのままズルズ

5　郵便不正疑惑で不当逮捕・拘留された村木厚子氏。冤罪が晴れた後、復帰して待機児童対策特別チームのリーダーとなり、そして後に女性初の厚労事務次官に。退官後もＤＶや虐待等を受けた若年女性に寄り添う「若草プロジェクト」等に関わっている。

ルと法案のまま留め置かれてしまうし、ことによっては廃案となってしまう。

与党が圧倒的多数で内閣支持率も高ければ、数の力で押し切る、ということもできなくはないが、当時の政権はそういったことができる状況ではなかった。

なんとか野党にも理解してもらい、妥協できる部分は妥協をし、法案を通さなければならなかったのだ。

「どうしたらいいですかね？」

僕が聞くと、その政治家は、

「うーん、自民と公明さんのキーマンに話をして、なんとか妥協できるラインを見つけたいよね……」

と言う。

「じゃあ、そのキーマンのところに大臣とか副大臣とかが会いに行って、交渉すればいいじゃないですか」

「いやいや、こちら側から会わせてくれ、って言ったら、それが借りになるし、交渉の立場が悪くなるでしょ。会ってあげた、みたいなのはさ、ちょっとね……」

「知らんがな」と喉まで言葉がでかかったが、しかし国会での闘争というのは、我々には計り知れないくらい、いろいろな交渉が積み上がる場らしい。

政治家同士がフラットに話せないとしたら、どうしたらいいのだろうか。ふと思いついたのが、「じゃあ、僕たち民間が場を作ったらどうか」ということだった。

僕は急いでインターネット放送のニコ生に連絡を取った。

†キーマン政治家を集めて討論

「今日、お隣の田村議員にヤジ飛ばされたばかりなんですけどね」と泉健太内閣府大臣政務官はいきなりジャブを打った。

「ニコ生ブロゴス」という政治系討論番組[6]は、僕がお願いした通り、政権側担当者の泉政務官と、野党側キーマンの自民党の田村憲久議員[7]、公明党の高木美智代議員[8]をパネリスト

6 2012年5月11日
7 後の第二次安倍内閣 厚生労働大臣
8 後の第三次安倍内閣 厚生労働副大臣

として呼んでいた。

口火を切った泉政務官に対し、反対の急先鋒、田村議員は「幼保一体化なる、わけの分からないもの（中略）では待機児童は解消しない。反対」とミニ国会がスタートしたのだった。

お互い喧々諤々のやりとりをしていたのだったが、1時間も議論を続けていくと、「その部分は私たちも反対していない」「子どものために財源が必要、というのはみんな一緒」など、共通点も見え始めてきた。結果的に幼保一体化と一部の規制緩和を除いて、ほぼ意見は変わらない、ということが浮かび上がってきた。

ニコ生は番組の最後にアンケートを取るのが通例で「新システムは必要」「一部必要な部分はある」「必要ではない」「よく分からなかった」という選択肢に対し、「一部必要な部分がある」という意見が最多であった。

それを見て、田村議員は「我々も『一部必要』ですからね」と発言。当初よりはずいぶんトーンダウンしていた。

番組終了後、あれだけやりあっていた泉政務官と田村議員は控室的なスペースで談笑していた。公明党の高木議員は帰りがけに僕に「大丈夫。この法案は潰させはしないわよ。

なんにせよ、前に進めなきゃ」と耳打ちした。

その1カ月後、民主・自民・公明で三党合意の文書が取り交わされ、3カ月後には新システムは総合こども園等について修正がなされた上、参議院を通過し、「子ども・子育て支援法」として成立した。

小規模保育は、「小規模認可保育所」という名称で、晴れて制度化された。

戦後70年近くたいして変わってこなかった認可保育所制度は、大きく変化した。

すなわち、定員20人の壁は取っ払われ、20人未満でも認可されることになったのだった。

下町の外れで小さく生み出された「おうち保育園」が、国策となった瞬間だった。

†制度の中身を詰める

「いやー、よかった！　我々の生み出した事業が、法律に組み込まれて、制度になったなんて信じられない！」

社員たちは素直に喜んでくれた。

しかし、僕には訪問型病児保育のトラウマがあった。

「**神は制度の細部に宿る**」

と確信していた。
子ども・子育て支援法を読むと、小規模保育については、一言、こうあるだけだ。
「第七条
7　この法律において「小規模保育」とは、児童福祉法第六条の三第十項に規定する小規模保育事業として行われる保育をいう」
では、この児童福祉法第六条の三第10項を見てみると、こうある。
「第六条三
10　この法律で、小規模保育事業とは、次に掲げる事業をいう。
一　保育を必要とする乳児・幼児であって満三歳未満のものについて、当該保育を必要とする乳児・幼児を保育することを目的とする施設（利用定員が六人以上十九人以下であるものに限る。）において、保育を行う事業」

つまり、預かる子どもの年齢と定員数しか決められていないのである。

法律というのは、まさに**骨組み**で、細かい血肉の部分は、**政令や省令、ガイドラインや要綱など、法律よりもレイヤーの低いルールによって詰められていく**。

そこがイケてないと、結局イケてない仕組みになってしまうのだ。

子ども・子育て支援法についての細部は、「子ども子育て会議」という、有識者や業界団体による審議会を立ち上げて、そこで詰めていくという。

その審議会の委員になって、現場の意見を届けなければ、良い制度にはなっていかない。

しかし委員になれるかどうか、というのは内閣府や厚労省で決められることで、僕がなりたい！　と騒いでも選んでもらえるものではない。

けれど子ども子育て会議は、多様な業界団体の調整装置でもあるはずなので、僕が業界団体の代表であれば、選ばれる可能性は高くなるはずだ。

「よし、**業界団体をつくろう**」

そう決めた僕は、小規模保育仲間に声がけした。江東区のおうち保育園を見て、横浜市は、市独自におうち保育園的な小規模保育を、国に先駆けて事業として認めていた。それに横浜市のＮＰＯの人たちが手をあげて、小規模保育の実践をしていた。

僕たちフローレンスと、その横浜市の数団体で、**「全国小規模保育協議会」と名付けた業界団体をつくった。**

「全国」とは、ハッタリもはなはだしかったが、いずれ全国に広がる、という意気込みだったので、その名称でいった。

はたして、全国小規模保育協議会の理事長の僕は、子ども子育て会議の委員に任命された。小規模保育の中身について話し合うのに、小規模保育の現場の代弁者を呼ばないわけにはいかない、ということだった。

第1回の子ども子育て会議は、2013年4月26日に開かれた。そこから2年間、月1で有識者と業界団体のトップが集まり、事務局の叩き台に意見を述べる形で進んでいった。

僕たちは全国小規模保育協議会に集う、小規模保育をやっている人たちの声を集め、それを提案書の形にし、毎回の子ども子育て会議に提出していった。

重要な提案のほぼ7割程度は中身に組み入れてもらったように思う。細部に宿る神を、殺さないで済んだのだ。

2年にわたる議論を経て、子ども子育て支援新制度は2015年4月からスタートした。

その2015年に、小規模認可保育所は、なんと1600カ所[9]近くに広がって行った。その5年前、2010年4月に「おうち保育園しののめ」たったひとつだけだった小規模保育が。

これが制度化のインパクトだ。我々がノウハウを囲って、単体でどんなに頑張っても、これだけ多くの保育園をつくることはできない。制度にし、多くの同志たちに参入してもらい、実践を広げることで、助けられる人たちが爆発的に増える。

自分たちで利益が独占できるわけではないし、競合も増えるが、そんなことは些細なことだ。困っている人たちが救われ、社会を変えられるのならば。

9　全国の小規模認可保育所数は、以下の推移を辿った。
2015年　1655件／2016年　2429件／2017年　3494件／2018年　4276件／2019年　4915件

第3章 「存在しない」ことになっている医療的ケア児たちを、社会で抱きしめよ

No pessimist ever discovered the secret of the stars, or sailed to an uncharted land, or opened a new doorway for the human spirit.

Helen Keller

悲観論者が、星についての新発見をしたり、海図にない陸地を目指して航海したり、精神世界に新しい扉を開いたことは、いまだかつてない。

ヘレン・ケラー

†誰も医療的ケア児を預かってくれない

「**医療的ケア**の必要な、私の子を預かってくれませんでしょうか？」

2012年3月、フェイスブックのメッセンジャーで、見知らぬお母さんから話しかけられた。綾綾子《あやあやこ》さん。

「息子は、体幹と呼吸の筋肉が弱く、人工呼吸器を使用しており、〝痰吸引〟と〝鼻から胃へのチューブでミルク注入〟という医療ケアが必要な状況」で、彼女は育休中とのことだった。

保育園に預けて、育休から復帰しようと思っても、世田谷区の保育園でそうした医療的デバイスを付けている子を預かってくれる園はないと言う。

「うちは病児と言っても、風邪や発熱などの軽い疾患のお子さんをお預かりしておりまして……。でも、そうしたお子さんを受け入れてくれる保育園もきっとあるはずなので、ちょっと待っててくださいね！」

そう言って僕は気軽に医療的ケア児[1]を預かってくれる保育園を探した。それがどんなか大変な仕事かも知らずに。

まず、世田谷区に電話してみた。すると、

「健常児か障害児かにかかわらず、保育園に入園できます」

と入園窓口の方はおっしゃった。そうだよね。法律的にも、保育所は親が働いていたりすれば、全ての子どもに開かれていることになっている。

「じゃあ、実際に医療的ケアの必要な子どもを受け入れている園を教えてください」

そう言うと、入園窓口の人は、急にモゴモゴ言い始めた。

「なにせ待機児童がいっぱいいいてですね。健常児でも保育園には入れないくらいなので、そういったお子さんはもしかしたらちょっと入りづらいのかもしれませんね……」

そう言われて、結局医療的ケア児を受け入れている園を知ることはできなかった。

じゃあちょっと遠くでも、ということで近隣自治体にも聞いてみた。

みな一様に、「障害児だからってお断りする、というわけではないですよ、もちろん」

と言ってくれるのだが、では受け入れができるか、というと、

1　正確には、「医療的ケア児」という言葉には当時は揺らぎがあった。医療ケア児、高度医療依存児、「歩く重症心身障害児」等、多様な使われ方をしていた。

「いえ、他の自治体にお住まいの方が、当区の保育園に通う、ということは基本的にはできません」

という答え。

「じゃあ引っ越したら大丈夫ですか？」

「いえ、それは申請していただかないと分かりません。ポイント制になっていまして」

「なるほど。では、医療的ケアが必要な子が入園している保育園が、この区の中にあるのか、という情報だけでも教えてもらえませんか？」

「いえ、そういった情報はこちらでは把握していません」

と終わってしまう。

おかしいぞ。そう思って、保育園経営者仲間に聞いてみる。

「駒崎さん、そりゃあ無理な話だよ。**医療的ケアがある子なんて、預かれるわけないよ**」

ベテラン保育園経営者は、苦笑いしながら言った。

「第一に、俺たちは医者じゃない。看護師も保育園にいない。そもそも看護師を置ける金が政府から出てないだろ。その状況で、そんなリスク高い子たちを受け入れられるかい？　もしチューブ抜けちゃったらどうするの？　死んじゃうでしょ。そしたら全責任は俺たちにくるわけ」

「でも、保育園は健常児、障害児に関係なく、みんなに開かれてる制度だって……」

「そんなんは綺麗事だって。実際預かれる園がなかったら、役所でも断らざるを得ないでしょ。もちろん『あなたの子は障害児だからダメです』とは言えないから、不承諾通知が行くだけだけどさ」

ショックだった。**待機児童にすらなれない子どもたちがいる**だなんて。

信じられないので、東京都庁の担当部署にも聞いてみた。

彼らの答えは、

「医療的ケア児を預かる保育園ですか？　都としては把握してないですね。何人いるか？　それも分からないですね。基礎自治体に聞いてみてください」

だった。

東京都は1300万都市だ（2012年当時）。世界有数のメガロポリスだ。その東京において、1人の医療的ケア児も、満足に保育することができてないだなんて。

僕は愕然としつつも、何とかこの問題を解決できないか、考え始めていた。

そもそも医療的ケア児って何なんだ？

†テクノロジーが生んだ新しい障害児

「医療的ケア児は、医療技術が生んだ障害児、と言うこともできるかもしれません」

日本で最も多く、医療的ケア児家庭への在宅診療を行う医師、前田浩利先生はそう言った。

「日本は出産時に、世界で最も赤ちゃんが亡くならない国になりました。周産期医療技術の発達と、現場の医師たちの賢明な努力の結果です。それは本当に喜ばしいことです。昔だったら出産時には亡くなってしまうような未熟児も、今では、例えば1000グラムにも満たないこんなちっちゃな子も救うことができます」

と目の前で親指と人差し指を軽く広げた。

「そんな小さな赤ちゃんたちも、人工呼吸器や経管栄養等、医療的デバイスによって命を繋ぎ、生き抜くことができるようになりました。NICU（新生児集中治療室）と言う集中治療が可能な病院施設が増えたことにより、その恩恵は全国に広がりました。

しかし、NICUから退院したら、医療的ケア児たちの医療的ケアをするのは親御さんたちです。夜中も痰の吸引があったり、チューブを引き抜かないか見守ったり。本当に、24時間365日、医療的ケア児の看護と介護を、親御さんが一身に背負うことになります。

お父さんは働き、お母さんは仕事を辞めて、医療的ケア児の看護と介護に専念する場合がほとんどです。そして**保育園に預けようとしても預かってもらえない**。**幼稚園も通園できないことがほとんど**で、さらに障害児の通所施設にも行けない場合が多い」

「障害児の施設でも、ですか？」

「障害児の通所施設では、障害児の教育、つまり〝療育〟を行っているのですが、対象が知的障害児や発達障害児であることが多く、看護師を配置するお金は国から出ていません。看護師がいないと母子分離はできない、つまりお子さんだけお預かりすることはできません」

「それじゃあ、**医療的ケア児たちはどこにもいく場所がない**、っていうことになりませんか？　親御さんも孤立して、疲弊し切ってしまう……」

「まさにそうなんです、駒崎さん。さらに法律的な位置付けもないので、統計すらまともに取られていません。何もかも、ないのです」

「なんてこった。政府はなぜ何もしてないんでしょうか？」

「それは私には何とも……。でも、この子たちが生まれ始めたのが、この十数年、ということで、比較的最近のこと。また、親御さんたちは毎日の生活に手一杯で、声をあげる時間も余裕もないこと等があるでしょうね……」

前田医師は、そう言ってこめかみを押さえた。彼も毎日寝る間も惜しんで、深夜でも何かあったら医療的ケア児家庭に診察に行っている。表情に疲労が色濃く影を落としていた。

何とかしなきゃ。誰かが、何とかしなきゃ。

僕は思った。そうだ、**僕たちが医療的ケア児を預かれる場所を創り出してしまえばいいんだ**。医療的ケア児であっても預かれる、ということを、現場で証明する。そしてそれを政策に乗せてしまうのだ。

やってやる‼

僕の心は薪をくべた暖炉のように、パチパチと燃え始めたのだった。

†使える制度がない中に、ひた走るグレーゾーン

簡単だ。最初はそう思った。

保育園をつくって、そこで医療的ケア児を迎えればいい。看護師を配置すれば赤字だが、そこは寄付でもしてもらえればいい。我々は「おうち保育園」で保育園運営のノウハウはあるのだ。

そう思ったが、いきなり挫折する。**保育園は、子どもを選べない**のだ。

認可保育園は、直接園とやりとりをして入園してもらうかどうか決める仕組みではない。親の就労度合い等で機械的にポイントがついて、行政の方で園を振り分けることになっている。僕たちがいくら医療的ケアのある子どもを受け入れたくても、ポイントが上の人から来ることになるので、それは叶わない。認可を取らなければ子どもを選べるのだろうが、そうすると補助金がもらえず経営が全く成り立たない。どちらにせよ、医療的ケア児を受け入れられる保育園をつくるという道の前には崖しかない。

だとするなら、既存の障害児向けの通所施設はどうなんだろうか。

既存の就学前の障害児の通所施設は、「児童発達支援事業」と言って、基本的には障害児のための教育（これを「療育」と言う）のための施設だ。

よって、30分とか1時間とか通って、各種トレーニングを行う、というのが基本となっていて、それゆえ「通所1回あたりいくら」という補助の仕組みになっている。親御さんが支払うのは10分の1程度で、後は補助金となるので、安価に通える。

子どもが1回通ったらいくら、という補助なので、1日のうちに何人も来てもらって成り立たせる仕組みだ。保育園のように、丸一日いることは想定されていない。補助金額も、長く預かれば預かるほど損な仕組みだ。

詰んだ。結局医療的ケア児を預かるのに使える制度は、やっぱり存在しない。くそったれ。

しかし待てよ。児童発達支援事業は、足りないとは言え補助が出る。この足りない部分は、利用者から保育料として上乗せして頂けたらどうなんだろう。月数万円支払うことで働けるなら、損はしないはずだ。

早速、フローレンスのスタッフの森下倫明さんに区役所の障害政策担当の人に聞いてみてもらった。

答えは「NO」。

「公金でやっている事業は、利用者から追加費用とか勝手に取っちゃダメだそうです。そりゃそうですよね。悪い事業者がバンバン上乗せしたら、お金のない家庭は障害福祉サービスが使えなくなっちゃいますしね」

しきりに納得している気のいい元営業マンの森下さんに僕は言う。

「僕らは悪い事業者じゃない。何とか医療的ケア児家庭を助けようと思っているだけじゃないか。十把一絡げに規制されるのは問題だよ。

あれ、ちょっと待って。これは「上乗せ」だからダメだけど、「別取り」だったらいいんじゃない？

つまり、週4日は児童発達支援事業に通うんだ。で、週1は隣の部屋でやっている〝保育スペース〟に遊びに来る。この週1の保育スペースに通うのは、児童発達支援事業と、何の関係もない。たまたま横でやっているだけだ。その週1の通園に月いくらか頂く。これで、結果として児童発達支援事業の補助と、利用者の自費を合わせて収入として頂ける。そうすれば、何とか成り立つんじゃない？」

「よくもそんな悪知恵、いやユニークなアイデアが思いつきますね。ちょっと役所にもう一度確認してみますね」と森下さんはすぐに電話を取り上げ、10分ほど話してこう言った。

「関係ない施設でお金を取ろうがどうしようが、児童発達支援には関係ないから、特に何も言う立場にない」だそうです。

決まりだ。

本来なら1時間通ってトレーニングを受ける児童発達支援事業の仕組みを使って、長時間の預かりを実現してみよう。保育園の制度は使わないけれど、分かりやすく「**障害児保育園**」と名乗ろう。

†塩対応の行政たち

おうち保育園を初めて設立した、故郷江東区に僕らは早速乗り込んだ。

「この障害児保育園があれば、今までどこにも行き先がなかった医療的ケア児の家庭が救えます。江東区にもそういう家庭はいます。一緒にやりませんか?」

僕は熱弁をふるった。おうち保育園で実績をつくったフローレンスに、江東区は色良い返事をしてくれるはず。

「いやー、いきなりそんなことを言われても、ねえ。って言っても、駒崎さん、止めても勝手にやるだろうから、まあやられるんだったら、どうぞ……」

まさかの塩対応である。

そんなバカな。たまたま我が故郷の心の準備が整ってないだけだ。23区をシラミつぶしに見ていこう。

「はい！　私、区役所に電話かけまくりますね！」

元気よく手を挙げてくれたのは、大学生インターンの熊坂真穂さんだ。熊坂さんは目を輝かせ、かたっぱしから23区の区役所の障害福祉課に電話してくれた。

しかし、熊坂さんの目の輝きは時が経つにつれ失われていき、しばらくすると死んだ魚のように濁ってきた。

「駒さん、もう20区近くかけたのに、どの区も『うちはちゃんとやれているはず』とか『それは自分たちの仕事ではない』とか『そんな事業は成立しない』とか言ってくるんです。極め付けは『障害児の母親が保育園に預けて働くなんて、子どものことをどう思ってるんですか！』なんて怒りだす職員までいるんですよ……」と涙声になって言う。

やはり、こんな突飛なアイデアを聞いてくれる行政なんてないか……。

もう心が折れかけそうになっている時、熊坂さんが会議室に駆け込んできた。

「す、杉並区さんが、ぜひ話を聞きたいって言ってます!!」

「我が区にも医療的ケア児家庭はたくさんいるのですが、そうした家庭に有効な支援ができていないことを、心苦しく思っています」

杉並区障害者施策課係長のYさんは身を乗り出してそう言った。

「フローレンスさんが医療的ケア児のための保育をしてくださるなら、我々もできる限りサポートしていきたいのです。なんとか医療的ケア児の親御さんたちが、働き続けられるようにしたいのです」

Yさんの上司の、T課長は穏やかに言った。

課題を課題と認め、課題解決のためにNPOとも連携しようとする。一見当たり前のようなそうした姿勢は、全く当たり前ではない。ものすごく貴重な当たり前だった。

この人たちとなら、一緒にやれる。ロジックなしでそう思った。

「ぜひ、ここでやらせてください！」

僕たちはその場でがっちりと彼らと握手したのだった。

そしてその足で、障害児保育園をつくるための物件を探しに不動産屋さんに行った。

「障害児の通う施設で150平米くらいですね。ちょっと探してみます」

全てがうまく行きそうな良い風が吹いていた。

†障害児保育園「ヘレン」に

敏腕行政マンであるT課長とY係長の情熱的な奮闘で、障害児保育園の開園日は2014年9月と決まった。杉並区もそれに向けて庁内決裁を済ませ、障害児の親たちにお知らせをする等のサポートをしてくれる手筈になった。

不動産大手から石原綾乃さんも障害児保育園チームに転職して来てくれた。入社したら面接官の1人が大学生インターンだったと知って驚いたと言う。しかもインターン生の方を上司だと思っていたそうな。

障害児の学童保育施設、放課後デイサービスに勤めていた若手の石川廉《れん》くんもこの時期にジョインしてくれた。沖縄出身で明るくて素直、というのが採用理由だった。

何もかも、走りながら考え、考えながら走っていた。

そろそろ名前も決めないとね、と綾乃さんや熊坂さん、廉くんとブレストをした。

誰かが、「フローレンスがフローレンス・ナイチンゲールから名前を取ったように、この障害児保育園は、ヘレン・ケラーから取って、『ヘレン』にしませんか？　視覚と聴覚の重複障害者でありながら、世界中で障害福祉と教育の重要性を説いた彼女に。この障害児保育園に通う子どもたちも、未来のヘレン・ケラーになってくれるんじゃないかって」

そうだ。僕たちは親が働けるようにするだけじゃない。医療的ケア児たちの無限の可能性が花開くことに手を貸そうとしているんだ。

満場一致で名前も決まった。

しかし希望に胸を膨らませた僕たちの前に、暗雲が立ち込める。

†物件が決まらない

「物件が決まらないって⁉」

綾乃さんに思わず大声で僕は聞いてしまった。

「はい。不動産屋さんが探してくれているのですが、『障害児が通う』と言うと、オーナーさんは良い顔をしてくれないそうです。中には、『大声で叫び出したりして、近所に迷惑がかかっちゃうから』と言う方もいるらしく……」

なんてこった。ひどい偏見だ。医療的ケア児たちの中には声すら出せない子もいて、うるさくなんかしない。また、よしんば声が出たとしても何なんだ。子どもが生きていたら、声くらい出るじゃないか。

僕はこの国の子どもや障害を巡る眼差しに、暗澹たる思いを持った。みんな政治が悪いとか社会が悪いって言うけど、そういう**政治や社会をつくっているのは、みんなの心に巣食う、偏見や偏狭**なんじゃないか……。

「開園は9月17日に決まっていて、もう4月です。物件はおろか、設計士さんも工務店さんも見つかっていません。普通なら間に合いません……。開園をずらせたらいいのですが、杉並区も区民にアナウンスしてしまっているので、それは難しいとおっしゃっていて……」

絶望した森下さんたちの日報を見て、社内の元不動産業界出身の綾乃さんが知り合いのつてを探し回ってくれた。

不動産業界で福祉に関心がある事業者は数少なかったが、株式会社リアンの門脇社長は違った。

「何か、役に立てるかもしれません」

そう言って尋常ではない情熱で、物件探しを始めてくれた。ついでにうずまき工務店という施工会社まで紹介してくれた。

そして2カ月。

「見つかりました‼　物件がようやく見つかりました‼」

リアンさんから電話があった時は、思わずチームメンバーと抱き合ってジャンプした。

うずまき工務店の室井社長とB設計士は、そこから正に不眠不休で工事に取り掛かってくれた。通常は4カ月はかかる工事を、なんとか2カ月でやらなくてはいけない。しかも、福祉施設の規制は多岐にわたっていて、難易度が高い。真夏のクーラーもない工事現場に二人は張り付き、陣頭指揮を取ってくれた。綾乃さんも毎日職人さんたちのためにリポビタンDを持って工事現場に通った。

†立ちはだかる東京都

保育園とは名のつくものの、ヘレンは児童発達支援事業という制度を使う。それゆえ、許認可権は東京都に属する。

僕たちは医療的ケア児を長時間預かる、というかつてないケースで許認可をもらいに東京都の担当者と面談の場を持った。

「そうした事例は、基本的には認められないですね」

「え、どういうことですか?」

僕は目ん玉が発射して、目の前の担当者を貫通しそうな勢いで聞いた。

「真横に自主保育スペースを作って、そこで付加的に料金を取るなんて、過去に事例がありません」

「ちょっと待ってください。じゃあそれ以外にコストのかかる医療的ケア児を長時間預かる方法があるって言うんですか? ないから東京都全体で医療的ケア児の家庭が困っているんでしょう?」

「それはそうかも知れませんが、規則は規則です」

「規則のどこに、児童発達支援事業の横に保育スペース設けちゃダメって書いてありますす?」

「それはないですが」

「だったらあなたにダメって言う権限ってあるんですか?」

僕と東京都の担当者との間の資料が、放っておくと着火しそうな勢いになっていて、チームメンバーたちはあわあわしている。

「駒さん、この場はちょっと……」と彼女たちに羽交い締めにされながら、都庁を後にする。

杉並区がどんなにバックアップしてくれても、都が首を縦に振ってくれなければ開園はできない。一気に奈落の底に落とされた気分で、僕は豪華すぎる都庁舎に向かってバカヤローと叫んだ。

「駒さん、都の担当者との対応は、私たちがやります。粘り強く話し、彼らの求める論点を一つずつ潰していけば、分かってくれるはずです」と綾乃さん。

「まあ、何とかなるっしょーーっ！」と廉くん。

彼らの目にはまだ炎が消えていなかった。僕が自暴自棄になってどうするんだ。

†それぞれの持ち場での闘い

約束の開園の時間は迫ってきていた。

後で聞いた話だが、杉並区内では、この前例のない施設建設に対し、内部からも反対の声があがっていた。

「本当に大丈夫なのか？」

「フローレンスに騙されているんじゃないか？」

T課長は「大丈夫です」と言い続け、説得して回った。さらに、杉並区からも東京都に対し指定を下ろしてもらえるように何度も相談してくれていた。

開園できるかどうかも分からない中で、現場スタッフたちも集まってくれていた。医療的ケア児を保育する、と保育業界的にはあり得ない施設に対し、福祉の心を持った職員たちが集ってくれていた。

遠藤愛さんは、知的障害児の通所施設に勤めていたが、ヘレン立ち上げチームの森下さんが実習に行ってヘレン構想について語るのを聞いて、「これだ」と思ってくれたらしい。

重い障害のある子を見続けていた愛さんが参加してくれたのは、とても大きかった。

まだ指定が下りるか、本当に開園できるかも分からないのに、退路を絶って転職してきてくれるその思いに胸がいっぱいになった。と同時に、開園できなかったらどうしよう、という恐怖に、ご飯も思うように食べられなかった。

膨大な資料の提出、質問や訂正依頼を打ち返し、という東京都の指定申請作業は続いていた。当初は塩対応どころか岩塩で殴りつけるような態度だった都の担当者の態度も、毎日深夜までやりとりをするうちに、徐々に変わってきていた。

開園まで1カ月を切ったある日、深夜の電話で「森下さん、もうちょっとなんで頑張りましょうね」と都の担当者がポロッとこぼしたそうだ。電話の向こうに温もりを感じた瞬間だった。

そして開園5日前、9月12日17時過ぎ。東京都の担当者から一本の電話がオフィスにあった。

「無事に、児童発達支援事業の指定が出ます」

うぉっしゃーーーー!!!

森下さんが叫び、熊坂さんや廉くんが飛び跳ね、綾乃さんは号泣していた。そんなヘレンチームを見て、オフィス全体から拍手が湧いた。

綾乃さんが言った。

「仕事で泣くなんて思わなかった。こんなの初めてです」

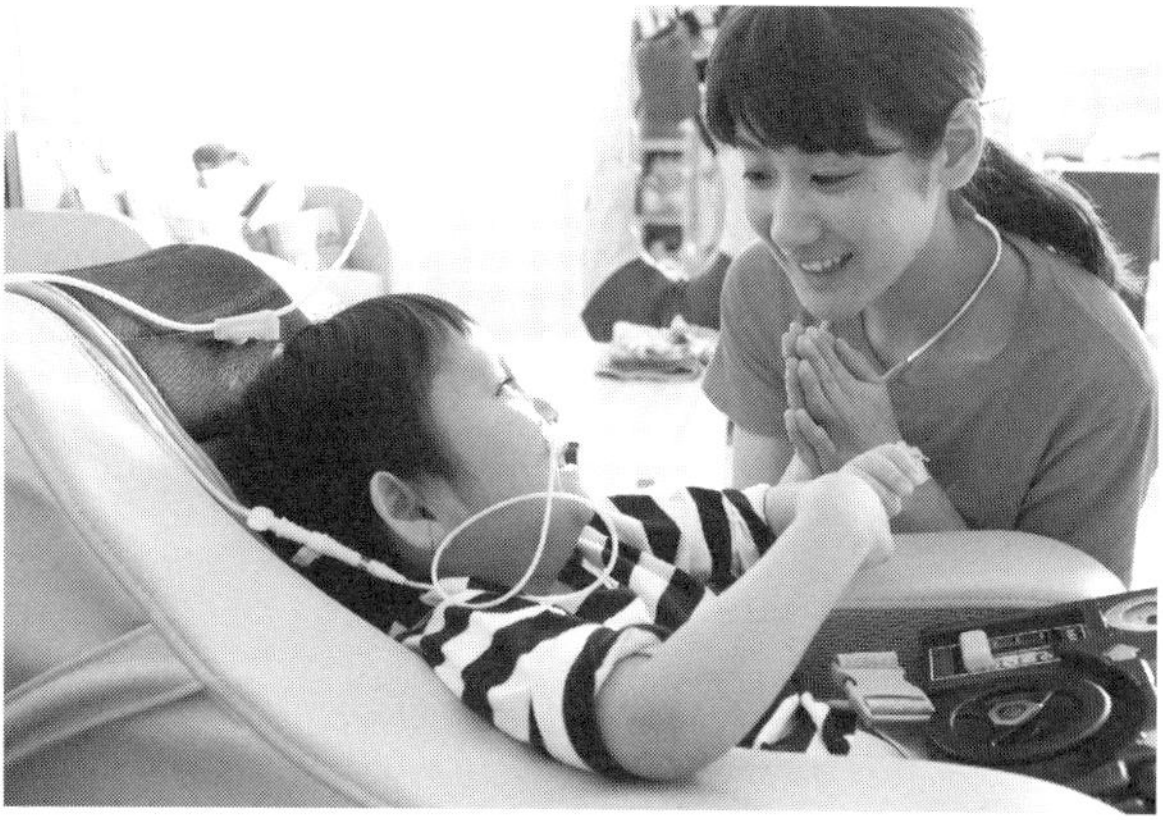

障害児保育園ヘレンの様子

†開園の日

2014年9月17日、障害児保育ヘレンは開園した。偶然にも娘の誕生日と同じ日だった。そして娘が生まれたような気分だった。

開園式。

「どこにも行く場所がなかったですけれど、今日からここに来られるんですね」

「大好きな仕事を続けたい。ただそれだけの思いが叶わずに絶望していましたが、また働いていいんですね」

「この子にお友だちができたらとっても嬉しいです」

親御さんは口々に語る。

医療的ケア児たちを抱きながら、親御さんが保育者たちと話しながら笑っている。笑っている。

その様を見て、僕は抑えていたものが全部出てきて、いいおっさんにもかかわらず肩を震わせ泣いた。無理筋な新規事業に全力投球で、経営を任せっきりにしていた副代表の宮崎真理子も、隣で号泣していた。

ふと見ると、杉並区のT課長とYさんも泣いている。

僕の人生の最後に見る走馬灯の中に、多分出てくるに違いないワンシーンだった。

†優しいおじいちゃんとの出会い

開園してほっとしたのも束の間。開園後も怒濤の日々は続いた。

利用希望の問い合わせが相次ぎ、当初数家庭からスタートしたが子どもたちもどんどん増えてきた。取材依頼もたくさん来て、全国に「医療的ケア児のための保育園」が喧伝されるとともに、医療的ケア児が一般の保育園に入れない、という社会課題が知られていった。

一方、保育と医療が掛け合わされた現場は、看護師と保育士の価値観が常にぶつかり、コミュニケーションのトラブルが絶えることはなかった。

トラブル処理に追われる中、友人から「うちの親父が視察に行きたいって言ってるんだ」と相談を受けた。

「うちの親父」は立憲民主党に所属する、元国家戦略担当大臣の荒井聰《あらいさとし》議員だった。どんないかついおじさんが来るのかと身構えていたら、来たのはヨレヨレのスーツを着た「優しいおじいちゃん」だった。

医療の発達で、医療的ケア児が生み出されたこと。命が助かって良いことのはずなのに、保育園にも幼稚園にも預けられないこと。親たち（特に母親たち）は仕事を辞めざるを得ないし、片働きになって経済的にダメージを受け、精神的にも孤立していき、最悪虐待や心中という事態に至るケースもあること。

そうしたことを話すと、「全く知らなかった。そうだったのか……」と考え込んだ。

そこに、まーくんという医療的ケア児が荒井議員のところに人懐っこくやってきてペタペタ触ってきた。

「その子はまーくんっていって、ママが荒井先生と同じく政治家をやられていまして。えっとまーくんママは何ていうんだっけ。あ、野田さんだ。野田聖子さん。まーくんママも、預け先がなくて看護師にベビーシッターに来てもらって**月50万**かかってたらしく、ここを偶然見つけて助かったって言ってました」

と僕が何の気なしに伝えると、荒井議員は目を剝いた。

「え、野田聖子⁉　よく知ってるよ。野田聖子と言ったら、本当に実力も地位もある自民党政治家だぞ。彼女ですら、子どもの預け先がなくて苦労しているだなんて」

荒井議員と秘書の加藤千穂さんは驚きを隠せないようだった。

帰り際に彼は言った。

「これは何とかしなきゃな。野田聖子と話してみよう」

そう呟く荒井議員の横顔は「優しいおじいちゃん」ではなく、老練な政治家のそれであった。

†超党派の会議が始まる

「駒崎さん、衆議院議員会館まで来てください」

荒井議員の秘書の加藤千穂さんからそう連絡があって行った先の会議室には、国会議員がずらりと並んでいた。

まーくんママがマイクを握って立ち上がった。

「私はずっと不妊治療をしてきました。ようやく授かった愛しい子どもには、医療的ケアが必要です。ですので、預け先がありませんでした。看護師さんにシッターに来てもらっていましたが月50万円くらいかかり、とても困っていました。ちょうど新しく障害児保育園ヘレンという施設ができたことを知り、そこに預けることができて安心していました。

先日、荒井先生に『あの野田聖子ですら、そんな目に遭う、ということは、普通の人たちだったらもっともっと大変な思いをする、ということではないですか。この医療的ケア児の問題を解決できるのは、あなたしかいないのでは』と言われました。

私は自分の子どもが医療的ケア児だったので、この問題に取り組むことに最初は躊躇していました。自分のために、自分の子どものために、と言われてしまうのではないか、と。しかし、この子のような子どもたちが、そしてその家族たちが私と同じように、いやそれ以上に苦労し絶望しているかと思うと、私が立ち上がらなければ、と思いました。

ここに、国会議員の方々に来てもらいました。自民党も、民主党も、公明党もいます。**党は関係ありません。党を超えて、この問題の解決に向けて話し合いたい**。

そして、厚労省と文科省の官僚の方々にも来てもらっています。厚労省は、医療をつかさどる医政局、福祉を担当する障害室、保育を担当する保育課の方々です。文科省は障害児のための特別支援学校を担当する部局の方々がいらっしゃいます。

医療的ケア児の問題は、医療と福祉と保育と教育の全てに関わりますが、それぞれ『自分たちの領域ではない』と考え、狭間に落ちがちです。なので、この場でその狭間を埋めたいと思うのです」

すごい展開だった。この党を超えた超党派かつ中央省庁を巻き込んだ会議は「**永田町子ども未来会議**」と呼ばれることになった。永田町子ども未来会議において、これまでほとんど省みられることがなかった医療的ケア児の問題が積極的に議論されることになったのだった。

†書き換わる法律

僕は国会議員というのは、党が違えば不倶戴天の敵同士で、会えば罵り合うのかと思っていた。しかし、党が違っても関心テーマが一緒だったりすると、普通に仲良く議論していた。

「同じ党でも全く違う考えの人もいるし、こいつとだけは話したくない、って思う人もいたりするから、党が違ってもその違いは乗り越えられるのよね」

加藤千穂秘書が教えてくれた。

また、政治家は官僚に「お前、これやっとけよ」と圧をかけるだけかと思っていたら、荒井議員は「なぁ、知恵を貸してくれないか。優秀な皆さんだったら、この問題の解決策も思いつくだろ?」と語りかけていた。

官僚も人間だ。政治家に怒鳴られたから嫌々やる、ということではなかなか進まない。社会課題を知り、意義を感じ、そして部署内や他部署との話し合いの中で、少しずつ解決策を思いついていく。

優れた政治家は、官僚のモチベーションを上げるように接していく、ということを知ったのだった。

また、まーくんママ、もとい野田聖子議員は医療的ケア児の母親当事者として、どう困っているか、何が必要なのか、本当に詳しく、細かいところまで官僚に説明していた。なるほど、当事者が政治の場にいる意味、というのはこういうことか、と気づかされた。通常、社会課題の当事者はマイノリティで、なかなか政治の場で発言はできない。しかし、**当事者が政治家の中にいると、誰よりも雄弁にその問題を熱を持って語ることができ、政治的アジェンダに押し上げる**ことができる。

政治の場に多様な「当事者」がいる必要というのは、こういうところにあるのだ、と知った。マジョリティで社会課題の当事者になったことがない、弱い立場にいたことがない、という男性だけで政治の場が構成されてしまったら、それは危ういことだ。もちろん「理解」することはできる。しかし、難しいテーマを押し進めるために、何らかの当事者性というのはとても強力な原動力となる。たくさんの当事者たちを政治の場に送り出さなくてはいけないのだ。

永田町子ども未来会議メンバーの議員たちは、ヘレンを始め、医療的ケア児の支援現場に足を運んだ。そこで得た知識をもとに厚労省に対してできるアクションを検討するよう議論を重ねた。

そしてついに、2016年5月25日に「障害者の日常生活及び社会生活を総合的に支援するための法律及び児童福祉法の一部を改正する法律」（児童福祉法等改正法）が可決した。この改正法により、日本の法律に初めて「人工呼吸器を装着している障害児その他の日常生活を営むために医療を要する状態にある障害児」、つまり医療的ケア児に関する内容が盛り込まれた。

児童福祉法第56条の6第二項にはこうある

2　地方公共団体は、人工呼吸器を装着している障害児その他の日常生活を営むために医療を要する状態にある障害児が、その心身の状況に応じた適切な保健、医療、福祉その他の各関連分野の支援を受けられるよう、保健、医療、福祉その他の各関連分野の支援を行う機関との連絡調整を行うための体制の整備に関し、必要な措置を講ずるように努めなければならない。

これまで打ち捨てられてきた、気づかれないできた、知らないままにされてきた医療的ケア児たちを支援する**努力義務を、全ての基礎自治体が負う**ことになったのだった。あの日の視察が、こんな結果になろうとは。僕たちは喜んだ。

がしかし。しばらく経っても、現場からは変化が見えてこなかった。医療的ケア児はあいかわらず保育園には預けられず、特別支援学校では親は付き添いを求められ、仕事を辞めざるを得なかった。

なぜか。法律が「努力義務」であることで、強制力が弱かったこと。そしてお金がついていないことで、実際にサービスが広がらなかったことが、変化が見えない主な理由だった。

萌々華ちゃんの叫び

法律は変わっても、医療的ケアのある子どもたちの状況はなかなか変わらない。山田萌々華《ももか》ちゃんという医療的ケア児がいた。2018年当時は小学校3年生。彼女は医療的ケアが必要だったが、お話がとっても上手だった。でも、特別支援学校には行けなかった。親御さんが共働きで、付き添いができないからだった。

代わりに先生が訪ねてきてくれる「訪問教育」を受けていたが、週3回、たった2時間のみ。**この日本に義務教育をまともに受けられない子どもたちがいた**ことに、愕然とした。

萌々華ちゃんはスピーチコンテストに出て、こう訴えた。

「私は今、小学3年生です。骨がとても弱いので、寝たきりです。

でも、みんなと一緒に笑うことができます。みんなと一緒におしゃべりができます。困っている人がいたら、声をかけることもできます。

だけど、**学校に行けないので、家にいます。**私はみんなと違って、歩けません。私はみんなと違って、人工呼吸器を使っています。人工呼吸器を使っている子は、お母さんと一緒でないと学校にいけません。大人は区別とか言うけど、私にはよく分かりません。

お友だちと一緒に、勉強したり、遊んだりしたいだけです。

私はパパとよく、サレジオ教会に行きます。そして、神様にいつもお願いします。私は学校に行けないのですか？　私はそんなに悪い子ですか？　私にいじわるするのは誰なのですか？　頑張って勉強しますから、**私を学校に行かせてください**」

†オランダから総理へ

2016年、「総理が参加する、国家戦略特区諮問会議に是非お越し頂き、ご提案を」と内閣府の官僚の方から声がかかった。

あいにくオランダの小学校の視察の予定があったので泣く泣くお断りしたら、

「大丈夫です。オランダから提案してください」

と彼は言った。ビデオ会議システムによって、アムステルダムから参加できるということだった。今は珍しくも何ともないが、コロナ禍を遡ること5年だったので、当時は「あの技術音痴の日本政府もIT化しつつあるのだな」と思ったものだった。

訪問看護師が家（居宅）しか行けない縛りをなくしてほしい。そうすれば、医療的ケア児たちが学校に行く時にも訪問看護ができるようになる。訪問看護師がついていてあげれば、親が付きそう必要もなくなる。そうすれば萌々華ちゃんみたいな親が共働きの医療的ケア児も、特別支援学校に行ける。

そうアムステルダムから懸命に訴えた。しかし画面越しの安倍総理は虚ろな目をしていて、僕の訴えはヨーロッパから日本までのユーラシア大陸のどこかに消えていったようだった。

†報酬改定を巡る戦い

なぜ医療的ケア児を受け入れる障害児通所施設（児童発達支援事業・放課後等デイサービス）が少ないのか。それは**経済的に成り立たない**からだ。

障害児の通所施設は、障害児が1人通うごとに障害サービス報酬という補助金が入る。この障害サービス報酬は、一般的な障害児や障害者を想定している。医療的ケア児のように、看護師を置いたり、手厚い人員を必要としたりすることは想定されていない。そう、医療的ケア児のことは、考えられていなかったのだ。

知的にも身体的にも障害が重い、重症心身障害児向けの加算というのはあった。**「大島分類」という、約50年前に作られた指標に基づいて分類**される。しかし医療的ケア児は重症心身障害児には入っていなかった。大島分類が作られた時代には医療的ケア児はいなかったからだ。

「なんとか医療的ケア児を預かっても赤字にならない単価を。それができれば、全国の障害児通所施設が、医療的ケア児を受け入れられるようになる」

そう思って、僕たちは永田町子ども未来会議で報酬単価の引き上げを強く提案した。多くの議員も賛成してくれて、厚労省も検討に入ってくれた。

2018年2月、平成30年度障害福祉サービス報酬が発表された。メディアでは、「〝医療的ケア児〟手厚く　障害福祉サービスの新報酬　厚労省」等、好意的なタイトルが並んだ。

しかし、実態は全く違っていた。

詳細は割愛するが、判定スコアというものが設定され、判定スコア8点以上の医療的ケア児を5人以上預かると「看護職員配置加算」という加算が出る、という設定だったのだが、この判定スコア8点以上の子5人という設定が異常に高かったのだった。つまりは**「ハードル高すぎて使えない」制度**だったのだ。

なんでもっとまともな仕組みにしなかったのか。

厚労省担当者に聞くと、「医療的ケアの重さ等、判定の専門的な指標の作成が間に合いませんでした……」と返ってきた。

案の定、医療的ケア児のための新たな加算ができたはよいが、ほとんどの事業所では算定することができず、「制度は作れど、利用事業者はおらず」という状況になった。

我々は報酬改定をめぐる闘いに、敗北したのだった。

†ヘレンの子どもたちが認可園に転園

しばらくは何もやる気が起こらないくらい落ち込んだ。これで次の3年後の報酬改定まで、単価は据え置かれ、医療的ケア児が通所施設に通えないという状況は変わらないままだ。

鬱々としていると、障害児保育園ヘレンのスタッフから声をかけられた。

「代表！　ヘレンの子どもたちが、どんどん**普通の認可保育園に転園**してるんですよ!!」

「え？　どういうこと？　認可園は医療的ケア児受け入れないよね？」

「基本はそうなんです。でも、ヘレンで子どもたちがいろんなアクティビティをしていると、**医療的ケアが取れてきたりするん**ですよ。例えば、お友だちがお口で食べていると、鼻に経管栄養付けてご飯を取っている子が、いいなーって真似してお口から食べようとするんですよね。最初はゲーってなっちゃうんですが、何度も何度もトライしていくうちに、すごく柔らかいものなら食べられるようになって、そのうち口から食べられるようになったり。そうなると経管栄養が要らなくなるので、医療的ケア児じゃなくなるんですよね。医療的ケアがなければ認可園は入園を断る理由がありません。それにヘレンで集団保育できたっていう実績もあるので、受け入れやすくなるみたいです」

「……すごいね。**子どもの可能性って無限**だね」

僕は子どもたちの成長しようとする力に感動した。そうだ、この子たちがこんなに頑張っているのに、僕らがしょげててどうする。

やれることを、愚直にやろう。

僕たちは再び政策を変えることにトライすることにした。

「うちの子はダウン症があって……。誰もが大切な仲間の一員として輝きながら参加するインクルーシブ（包摂的）な社会にしたくて」

元アナウンサーの龍円愛梨都議は２０１７年９月、ヘレンを視察しながら、そう語った。

「自分の子どもには知的障害があるので、そうした子どもたちの支援には詳しいつもりでしたが、医療的ケア児たちはまた全然違う課題があることが分かりました。一番取り残されやすい領域だ、ということも」

そこから龍円都議は医療的ケア児支援について熱心に取り組んでくれることになった。

翌年の２０１８年６月、龍円都議は同僚都議の紹介で萌々華ちゃんと出会う。早速東京都に何とかならないかと提案したが、「すぐには無理だ」という答えが返ってきたのみだった。

龍円都議ら都民ファーストの会と公明党は２０１９年８月、大阪市箕面市の学校に視察に行った。そこでは驚くことに、小学校で健常児と医療的ケア児（人工呼吸器を使用）が席を並べて授業を受けていた。**親の付き添いもなく、学校看護師が医療的ケアを行ってい**

た。当たり前のように。

東京都にあった「親の付き添い問題」が箕面市にはなかった。つまり、やればできるのだ。

龍円都議は萌々華ちゃんと萌々華ちゃんのお母さん、そして医療的ケア児の親の会と、都知事を引き合わせようと奔走した。

2019年8月2日、小池都知事と萌々華ちゃんとの会談が実現した。萌々華ちゃんはしっかり、はっきりと都知事に伝えた。

「学校に行ってお友だちと同じように勉強したり遊んだりしたいです。**私を学校に行かせてください**」

それに対し、都知事は言った。

「年齢や抱えている障害は違っても、学校に行きたい思いは一緒だと思う。安全確保も大事な点なのできめ細かに、同時にみなさんの思いをどうかなえるのか検討していきたい」

寝たきりの萌々華ちゃんが、**都知事から検討を引き出した**のだ。

後は議会の出番だった。公明党はこれ以前からずっと、付き添い問題をボディブローのように質問し続けてきた。そして9月10日の代表質問において、公明党の野上純子議員が壇上に立った[2]。

「医療的ケアが必要な児童のうち……人口呼吸器については……依然として付き添いが必須とされています。……しかし今年3月には文部科学省から、学校現場の看護師が人工呼吸器の操作を可能にする通知が発出されており、都教育委員会が内規でこれを認めていない状況は、一日も早く改善するべきです。……見解を求めます」

それに対し藤田裕司教育長は以下のように答えた。

「今後は年度内にガイドラインを策定周知し、看護師を校内における人工呼吸器管理の実施者とする規定改正を行い、対象の児童生徒一人ひとりの状況に応じて、**来年度から保護者の付き添いなく学校生活を送ることができるよう校内管理体制を整えて参ります**」

ついに、山が動いた。

これまでずっと都の教育委員会が必須としてきた親の付き添いを、正式に辞めるという宣言を行った瞬間だった[3]。

同時に萌々華ちゃんの顔が浮かび、目頭が熱くなったのだった。

†報酬改定をめぐる闘い、再び

こうしたことに取り組んでいるうちに、2021年度（令和3年度）報酬改定をめぐる闘いが近づいてきた。2021年4月から利用される新報酬は、2020年にほぼほぼ決まる。そこでどうやって、今度こそ使える報酬基準にアップグレードさせるか、だ。

前回は「医療的ケアの重さや専門性等の指標がない」ことがネックになって、報酬がちゃんとしたものにならなかった。それでは、ということで前田医師を中心とした研究グループが、複数の医療的ケア児家庭にカメラを設置し、24時間を分析して、医療的ケアの負担を定量的に示したのだった。我々が医療的ケアを評価しきれない「大島分類」にちなんで、仲間内で「前田分類」と呼んだ基準が、専門家の研究と議論の末、できようとしてい

2　東京都議会　2019年第3回定例会録画映像（代表質問）より

3　付き添い無し宣言はされたが、2021年12月現在、まだ段階的に解除されている、という状況であり、スクールバスに乗る場合親が同乗しなくてはならない等、課題は残されている。かくも福祉や教育において「決まったこと」と「現場でなされる」ことの間には距離がある、ということだ。

た。

　これで今度こそ報酬改定は前に進むのではなかろうか。

「報酬改定にはお金が絡む。このままでは財務省を突破できるかどうか、分からない」

　荒井聰議員は言った。

「ですが、どうすれば？　判定基準も作ったし、もうやれることはやったのでは？」

　と僕が聞く。

「政治の意志を見せ、後押ししなくてはいけない。**議員立法**だよ、駒崎くん」

　医療的ケア児の問題は障害分野でもニッチな話であった。身体障害や知的障害等と比べて、医療的ケア児の人口は約2万人と少ない。そうした「小さな」領域は、放っておくと予算等もつきづらくなる。しかし国民の代表たる政治家たちが、そこに「重要だ」という意志表示を示せば、政策の優先順位も変わる。

「**医療的ケア児及びその家族に対する支援に関する法律**」（**通称：医療的ケア児支援法**）を議員立法で提出すべく、永田町こども未来会議は急ピッチで議論を重ねた。

　どうせ作るのなら、報酬改定を成功させるにとどまらないインパクトを出そう。生まれてすぐに誰にも相談できない状況に置かれる問題も、預かってくれる保育園がない問題も、学校の親付き添い問題も、みんな解決していけるように盛り込んでいこう。永田町こども未来会議が発足してから6年近く議論してきたことを、結晶化させて盛り込もう。そんな熱気に溢れていた。

政治家たちの熱気は、官僚にも伝わる。新任の厚労省の河村障害室長は、報酬改定作業の中、何度も僕たちにヒアリングを行った。

「こういう種類の医ケア児をみる場合、何人のスタッフが必要となりますか？」

「通所施設のコスト構造はどういうものなのでしょうか？」

僕たちは様々な場合のシミュレーション資料を出したり、非常に細かい部分の質問も即座に打ち返したりしていった。とにかく時間がない中、どちらも必死だった。制度の神は、細部に宿る。ほんの少しのズレによって、前回のように全く使えない制度になってしまう。制度設計者からは見えづらい現場の重要なポイントを送り続けた。

そして2021年2月4日。「令和3年度障害福祉サービス等報酬改定案」の発表があった。そこには、「医療的ケア児用基本報酬」の新設が盛り込まれていた。つまり、これまでは一般的な障害児か重症心身障害児かの2種類の単価しかなかったところを、**新たに**

医療的ケア児のための報酬単価が作られた、ということだった。

さらにはその単価は「判定スコア」に応じて変わり、これまでの点数の約2～3倍になっていた。これで、今までは医療的ケア児が通うと通所施設側は赤字だったけれど、採算が取れるようになったのだった。どこにも行けずに閉じこもらざるを得なかった状態が、変わったのだ。

フローレンスの医療的ケア児支援のチームのみんなも思わずガッツポーズだった。これまではヘレンや、ごく一部の医療的ケア児支援に情熱を感じていた事業者だけが医療的ケア児たちを預かっていたけれど、これによって全国で医療的ケア児の受け入れが始まるだろう。

2014年9月にヘレンをオープンした時には「正気とは思えない」というリアクションだったけれど、それはじきに当たり前のこととなるだろう。そう、**新しい当たり前**に。

†医療的ケア児支援法のために立ち上がる当事者

錦織央子《ひさこ》さんという医療的ケア児のママがいた。彼女の子どもは予定日より2カ月早く

776グラムで生まれた。永田町こども未来会議で医療的ケア児支援法を何とか国会に提出しようと悪戦苦闘していた2021年2月、世田谷区のある区議が支援法に関する説明会をオンラインで開き、その録画を錦織さんは見た。

そして当事者である錦織さんは感動した。医療的ケア児のために、国会議員が党を超えて力を合わせて法律を創ろうとしている。だけれども、大きくニュースになっているわけではない。非常に地味だ。この動きをもっとみんなに知ってもらわなければ。そう思って、SNSで呼びかけて勉強会をすることにした。来たのは1人。決して周りが興味津々というわけではなかった。医療的ケア児の親御さんはケアに追われ勉強の時間もとれない場合が多く、1人でも来てくれてよかった。

聞くところによると、議員立法は通すのが大変らしい。成立率は2割という。このままだとこの素晴らしい法律も、成立せずに終わってしまう。そこで、Twitter や Facebook、Instagram で支援法の中身を発信することにした。

市や県等、地方自治体が医療的ケア児支援の「責務」を負うこと。

保育園や学校は看護師を置く必要があること。

医療的ケア児支援センターが置かれて、ワンストップで相談ができるようになること。

こうしたことをせっせと仲間と発信していくと、徐々にリツイートされていって、話題となっていった。そんな時にSNSで、

「ネット署名とかしないんですか？」

と尋ねられた。そうだ、その手があったか。

錦織さんは仲間たち4人と、2021年3月末からネット署名を始めた。

4月、錦織さんはフローレンスの広報チームに入社。最終面接はネット署名を始める前だったので署名のことは聞いておらず、入社してから闘う当事者であることを知って、僕は感動した。当事者の方々が、自ら動き、社会を変えようとしているなんて。そして偶然にもそうした人と、この集大成とも言うべき闘いを共にできるなんて。

5月。しかし状況は芳しくなかった。国会は荒れに荒れていて、議員立法どころの騒ぎではない、という状況だった。

そんな時に荒井聰議員の秘書の加藤さんから折り入って話がある、と言われた。

「荒井が引退することになったの」

顎が外れて床に転がっていきそうな気がした。まさか。

「だからこの法案は必ず成立させたい。彼にとって、最後の、最後の法案だから。そして荒井がいなくなったら、次に出せる機会がいつ来るか分からない」

その通りだった。議員立法は議員側の熱量が本当に重要だ。絶対に実現してやる、という議員がいなくては、どんなに人数を集めても成立しない。荒井議員は間違いなくその熱量を持っている中心人物で、彼が欠けては来年通せる気はしなかった。

「今、各党を回ってお願いしてるの。何とか今国会で通せるようにって。でもいろんなトラブルもあって。もっと世論が盛り上がってくれたら、成立の機運も出る」

ジリジリとした焦りの中、しかしネット署名は大きく広がっていった。その数、2万6000筆。2021年5月14日。この法案を審議する衆議院厚生労働委員会の与野党筆頭理事に、法の早期成立を求める署名を手渡したのだった。その真ん中に、錦織さんと仲間たちはいた。医療的ケア児とその家族も駆けつけた。当事者たちの熱量が溢れていた。

†医療的ケア児支援法成立

2021年6月11日、僕たちは国会議事堂の中の、参議院本会議場にいた。よくテレビで映る、あそこだ。

法律成立の日。当事者や尽力された皆さんと。筆者はヘレンのプレートを手と共に

僕に「預けられる保育園がない」と相談してくれてヘレン設立のきっかけを作ってくれた綾さんご夫婦とお子さんの優太くん。

共に働きかけをし続けてきた前田医師や森下を始めとしたフローレンスのメンバー。

小さい体で一生懸命学校に行きたいと訴えてきた萌々華ちゃんとママ。

そしてネット署名を頑張ってこの法案成立に大きく貢献した錦織さん。

みんなが揃って、本会議場に座っていた。参議院の本会議には出られないので、荒井聰議員やまーくんママ野田聖子議員、木村弥生議員らは僕らと離れた傍聴席に座っていた。

議長が言った。「では賛成の議員はご起立くださ い」

一斉に、そこにいた全議員が立ち上がった。

その様は、傍聴席にいる僕の胸に、言葉にならない万感の思いを溢れさせた。仲間たちも泣いている。

荒井聰議員たちは、本会議場に向かって深々と頭を下げていた。遠くでよく見えなかったが、荒井議員は晴れ晴れとした顔をしているようだった。議員生活の最後に、この風景を見せてあげられて良かった。ふと、そんなことを思った。


こうしてヘレン立ち上げを決めてから医療的ケア児支援法成立[4]までの我々の8年近くにわたる闘いが終わった。しかし、法律ができても、それは新しい闘いのスタートに過ぎない。国でつくった法律が、地方自治体でしっかりと実行され、支援が当事者のもとに届かねば、意味がないからだ。そしていつの日か文化が変わり、医療的ケアがあろうがなかろ

4 医療的ケア児支援法の施行日は2021年9月18日。偶然にも僕の誕生日と同じ日で、最高の誕生日プレゼントをもらった気分だった。

うが、何の不自由もなく、笑って暮らせる社会になる日まで闘いは続く。

そんな社会ができた時に、きっと僕たちはもういないだろう。こうした様々な苦労も、陰で尽力した政治家や官僚や当事者や政策起業家も、誰一人として覚えられてはいないだろう。しかしそれが何だと言うのだろうか。僕たちは信じて、レンガを積む。レンガを積めたことそれ自体に、意味がある。たとえできあがった大聖堂を見られずとも、我々は誰しもレンガを積める、ということ自体が希望なのだから。

第4章

如何に「提言」を変革へと繋げるか

Never doubt that a small group of thoughtful, committed citizens can change the world; indeed, it's the only thing that ever has.

Margaret Mead

思慮深く、献身的な少数の市民が世界を変えられることを疑う余地は全くない。まさにそれが今まで起こってきたことなのだ。

マーガレット・ミード

これまで小さくても社会課題の解になるような小さな事業を立ち上げ、それをテコに制度を変える政策起業手法について見てきた。

我々フローレンスにとっては、それがある種の「勝ちパターン」となっていることは間違いない。

しかし、では事業をやらなければ制度を変えられないのか、というと、そういうわけでもない。

「提言」そのものに強い力を持たせることもできる、ということをこの章では語っていきたい。

†ひとり親の手当が低すぎる問題

「日本の母子家庭の就労率は約81%で世界でもトップクラスの水準にもかかわらず、**先進国では最も貧困率が高い**んです。シングルマザー世帯の平均年間就労収入は181万円で、一般家庭平均の約3分の1です。子どもの貧困対策法ができて、翌年に大綱も出たのですが、低所得のひとり親に出される**児童扶養手当**など現金給付には触れられていませんでした。これではひとり親の貧困は改善しません」

日本を代表するひとり親支援団体である、しんぐるまざあずふぉーらむ代表の赤石千衣子さんは、ため息まじりに僕たちにそう言った。

「児童扶養手当は、ひと月いくらくらいもらえるんですか？」

僕は聞いた。

「第一子が月額最高で4万1300円。第二子は5000円。第三子は3000円と、**子どもが増えるにつれ支給額は減額される**仕組みです」

「え？」

飲んでいたコーヒーを吹きかけた。

「待ってください。1人目の子どもに4万円ちょっと払われるなら、子ども2人いたら、その2倍、ってなるのが普通じゃないんですか？ **なんでいきなり5000円に爆減**するんでしょうか。3人目の3000円に至っては、意味不明というか……」

「理由は定かではありませんが、そうなっているんですよね……。

多子になるほど、貧困率は上がるのに。一般世帯で、子どもが1人の場合の貧困率は17・0％、2人の場合は13・6％ですが、3人となると19・7％、4人以上では33・5％となります。

当たり前ですが、子どもが多くなればなるほど、貧困になりやすいのです。この問題は、数十年間放置されていて、ちゃんと考えられてきてないんですよね」

一緒に聞いていた、子どもの貧困問題に取り組むＮＰＯ法人キッズドアの渡辺由美子代表が言った。

「これ、なんとかしないといけないと思うんですよ。ネット署名とかして人々の声を集めて、制度を変えませんか？」

ということで、我々ひとり親支援に関わりのあるＮＰＯ[1]でまとまって「**ひとり親を救えキャンペーン**」と称し、インターネットで署名を集め、その署名を政治家に持っていくことになった。

†炎上騒動

２０１５年10月22日、ネット署名をスタートする記者会見を厚生労働省記者室で行った。ネット署名には乙武洋匡さんや沢口靖子さん等、著名人が賛同人[2]として名前を連ねてくれた。

記者会見を多くのメディアが伝えてくれた。そのせいもあって、署名は１日で５０００

人を超えた。いい滑り出しだった。

このまま1万筆のオーダーに乗れば、政治家に渡しに行っても恥ずかしくない規模になる。よかった……と思っていた矢先に、風向きが変わった。

署名が始まった翌日、元大阪府知事で多数のフォロワーがいる橋下徹氏が、Twitter で賛同人の乙武洋匡さんに絡んできた。

「これは気を付けないと低所得者に対しての逆差別になります。ひとり親かどうかではなく所得を基準とすべきです」と。

そこは乙武さんが丁寧に対応し、少しでも迅速に貧困の現状を改善するためには、今ある児童扶養手当制度の中でできることに取り組む重要性を伝え、橋下氏もこれに理解を示してくれ、ホッと胸を撫で下ろした。

しかしその矢先、今度は評論家の常見陽平氏が、Twitter やブログ等で批判を始めたの

1　フローレンスは、2008年からひとり親に病児保育を安価に提供する支援を行っている。

2　ネット署名の信頼性を高めるために、著名な方、インフルエンサーに賛同人として名前を連ねていただくことは効果的だ。

だ。

彼はご自身が母子家庭で育ったこと、自分は貧困世帯ではなかったことから、「『ひとり親は貧困だ』という印象を与えることは、当事者を傷つけることになる」という批判だった。

引用したい。[3]

趣旨はよく分かるが、とはいえ、このキャンペーンは、やや配慮が足りなかったのではないか。というのも、ここまで書いたように、弱者というものは、いくらその割には裕福であっても、虚勢をはろうとも、どこかこう、傷を抱えているものであり、なんというか、小さな一言で傷つくものである。

趣旨分（原文ママ）には賛同できるし、やや煽らないと賛同を得られないのもわかるが、とはいえ、この「宛先：菅義偉　官房長官　子どもを5000円で育てられますか？貧困で苦しむひとり親の低すぎる給付を増額してください！」というキャンペーン名は、ひとり親家庭の気持ちをわかっていないのではないかと思う。

いや、今時のひとり親家庭が可哀そうであることは事実だ。それは疑いようもない。それは労働問題に取り組んでいる者としてよく理解している。

ただ、この問題に長年取り組んでいる人たち並みからいうと配慮がたりないと思うのだ。揚げ足をとっているように見えるだろう。ただ、この手の人たちは、ちょっとした一言で傷つくのだ。

（中略）

この件に関するフローレンス駒崎氏のツイートはいちいち首を傾げてしまう。一部のツイートを切り取るとまさに印象操作になってしまうので、私に対する一連の抗議と歩み寄る姿勢を読んでほしい。

社会貢献している俺、偉いアピールになっていないか。

さらに言うならば、この問題に長年取り組んでいる俺、偉いアピールになっていないか。なぜ、長年取り組んでいるのに、弱者は小さな一言で傷ついてしまうことを分からないのだろう。そして、たとえ「勝ち組母子家庭」とその息子だったりしても、色々心の傷

3　常見陽平公式サイト「ひとり親家庭は応援するが、「ひとり親を救え！プロジェクト」を応援しないことにした」より

をおっていることも。


彼の批判を皮切りに続々とネット上で批判が寄せられた。

「困っているのはひとり親だけではない」

「可哀想であることをアピールすることが、余計可哀想にさせるんだ」

「なぜ勝手に離婚した人に税金を使うのか」

などなど。様々なコメントが嵐のように僕のアカウントに寄せられた。**いわゆる炎上状**態となった。

心配した乙武さんが「大丈夫？」と僕にメッセージをくれた。僕は大丈夫です、と答えつつ言った。

「このまま燃やしましょう」

驚く乙武さんに伝えた。

「このひとり親の児童扶養手当問題は、世間的にはほとんど関心が集められていないイシュー（社会課題）です。ちょっとくらい燃やさないと、世の中の人たちは注目してくれないし、盛り上がらなければ政治的イシューとしても取り上げられません。鎮火させるのではなく、燃やす方向でいきましょう」

そうして僕は、あえてネット上で論争の道を選んだ。以下に当時の僕のブログの一部を引用する。

タイトル：「ひとり親の貧困が問題だ」→「貧困じゃない人もいる。失礼だ」という論法の生み出すもの

現在、ひとり親の少なすぎる給付を改善しようという署名キャンペーンを行っています。このキャンペーンを呼びかけている中で、評論家の常見陽平氏から「自分は母子家庭で育ったが、貧困ではなかった。ひとり親＝貧困ではない。よってこれは印象操作だし、配慮のない言葉によって自分は傷ついた」というご指摘を受けました。

氏の心境を傷つけてしまったのは大変遺憾で、申し訳なかったと思います。

当事者の方々も様々で、多様な価値観がそこにはあり、尊重しなくてはならないことに改めて気付かされました。

一方で、こうした論法には多くの問題があると言わざるを得ません。これは決して氏個人を批判したいのではなく、何らかの社会問題を解決するにあたって、（無意識のうちに）ハードルを生み出してしまうことに繫がるからです。

例えば、「内戦によってシリアの難民たちが悲惨な状態に置かれている。助けねば！」という主張に対して、「シリア人の中には悲惨じゃない人もたくさんいる。シリア人全てが難民かのように言うのは違う。傷ついた」という反論があったとしましょう。これは事実としては正しい。シリアにも爆撃を受けてない地域は（少ないと思うが）存在するでしょう。間違ってはいません。しかし、問題解決にとっては無意味な言説です。なぜならここでの本質はシリア人全員が悲惨かどうかではなく、悲惨な状態にあるシリア人をどうやって助けるかを考えることにあるからです。よってこの論法は、まず議論の本質からトピックをずらしてしまうことで、建設的議論を阻害する役割を担ってしまいます。

また、議論が成立しないだけではなく、単純に問題解決を遅らせます。

問題解決には一定の順序があるとＮＰＯ業界では言われています。すなわち、①問題「発見」→②分析→③解決のためのアクションです。

このうちの最初のステップ、問題「発見」というのは、あえてカッコ書きにしたのは、問題は実は問題としてそこに提示されているのではなく、問題として定義されることによって、初めて問題だと認識されるのです。

例を出しましょう。

例えば児童虐待。児童虐待が「問題」として定義されたのは、実は割と新しい。１９８０年代までは特殊な家庭環境下でのレアケースだと思われていました。「しつけ」としての体罰も一定程度容認されていました。

しかし様々な啓発運動の結果、児童虐待として一般的認知を得ていき、法整備も進み、そうした制度は実際に子どもたちの命を救っていきました。

ここで、「過度に殴られたりする子どもが増えている。この児童虐待というものは問題ではないか」という問題定義のための主張がされた時に、「虐待をしていない親の方が圧倒的に多い。子育てを頑張っている親たちに失礼だし、ちょっと叩いただけで虐待扱いされるのは失礼だし傷つく」と親当事者が強硬に反対していたらどうだったでしょうか。

おそらく児童虐待防止法などの施行は遅れていたかもしれませんし、それによって助かる命も失われていたでしょう。

このように、問題を可視化しようとした時に、「一部の○○はそうだが、全体はそうじゃない」という言説は、問題の解決自体にとってはマイナスとなりがちです。

ということで、できる限り不毛な論法は避けて、社会問題そのものの解決にエネルギーを注げるよう、良い議論を創っていけたら、と思います。

こうした論争に様々な人々が参戦し、まとめ記事ができたり、WEB雑誌で解説[4]が出たりして、一定の盛り上がりを見せた。それによってキャンペーンは注目され、10月30日には署名は3万筆を突破したのだった。

†署名を官房長官に届ける

ネット署名をしただけで世の中は動かない。その署名を持ってしかるべき意思決定者のところに行き、世論の後押しがこれだけあるテーマなんだ、というのを知ってもらい、政治的なアジェンダに入れてもらわなければならない。

僕たちは自分たちが持っているつてを総動員した結果、あるルートで当時の菅義偉官房長官に会ってもらえることになった。

当日、3万8931筆の署名の束を持ち、警備厳重な官邸に通された後、官房長官室で緊張して待つ。

そして菅義偉官房長官が入室した。官房長官は自身が市議時代に関わった横浜保育室の話や駅ナカ保育園について話をした。子育て支援には思いがあるようだ。

4 東洋経済オンライン「「ひとり親を救え！」運動はなぜ炎上したのか　署名キャンペーンに対して上がった意外な声」より

菅官房長官（当時）に署名を手渡し

そしてカメラのフラッシュライトの中、署名を赤石さん、乙武さんらと手渡ししたのだった。

手渡しした後、菅長官は言った。

「安倍総理もこの問題には強い関心を持っています。増額に向けて頑張ります」

それがリップサービスなのか、本気なのか、彼の表情からは窺い知れなかった。だが、その4日後の12月21日に、報道で結果を知ることになった。ニュースは以下のように短いものだったが、我々のキャンペーン結果を知るには、十分すぎるものだった。

「子どもの貧困対策として、「児童扶養手当」が36年ぶりに引き上げられることになりました。
来年度予算に関する大臣同士の交渉で、一人親家庭に支給される「児童扶養手当」について、来年の8月分から、2人目以降の支給額を倍増させることで合意しました。支給額の引き上げは2人目では36年ぶりです」

その後、2016年1月22日の第190回国会において、安倍総理大臣は施政方針演説を行った。

その中にこういうフレーズがあった。

「子どもたちの未来が、家庭の経済事情によって左右されるようなことがあってはなりません。ひとり親家庭への支援を拡充します。所得の低い世帯には児童扶養手当の加算を倍増し、第二子は月一万円、第三子以降は月六千円を支給します」

記者会見をしてから約3カ月。[5] 36年間変わらなかった制度を多少なりとも変えられた瞬間だった。

インフルエンサーたちを巻き込み[6]、ネット署名で世論を盛り上げながら見える化し、しかるべきキーパーソンにアクセスし、制度を短期間で変えていく。こうしたことが不可能ではない、ということを分かっていただけたであろうか。

では、ここまで大掛かりなキャンペーンを打たないと制度改正はできないのだろうか。いや、しかるべきルートをたどって、適切なスイッチを押せば、世論が盛り上がりようがないマイナーなテーマだったとしても変えられる、ということはある。

次はその事例を見ていこう。

†保育士不足なのに保育士試験は1年に1回

「マジか、落ちた」

2010年、僕は保育士試験結果を見て呆然とした。あんなに頑張ったのに、10科目中1科目だけ、しかも1問分だけ合格ラインに足りなかった。**保育士試験は1年に1回**なので、また1年後の試験を受けねばならない。

頭をかきむしり地団駄を踏んでも、もうどうしようもなかった。保育事業をするのに保育士資格も取らずに始めた僕は、起業のかたわらコツコツ勉強してきたのだが、最初のチャレンジでは保育士資格をタッチの差で落としてしまったのだった。

翌年、満を持して保育士試験に合格した時には、大学に受かった時よりも嬉しかったのを覚えている。

それから数年後、待機児童問題が深刻化していった時に、**保育士不足問題がクローズアップ**された。保育園を増やすには、保育士の数が足りない、という問題だ。

その理由の中核は後述するように処遇に問題があるためだが、試験の数が年1回ということが機会損失になっていることは間違いなかった。もし通年で試験を受けられたら、年度途中で保育士が補充されるので、保育士不足を幾分緩和することができる。

5　この児童扶養手当の複数子加算については、2016年度予算の省庁から出される概算要求（2015年8月）時には、1行も入っていなかった。つまりは予定もされていなかったことを考えると、キャンペーンの役割は大きかったと考えられる。

6　キャンペーン反対派だった常見陽平氏とはその後直接対談を行い和解した。考えの違う人達とも直接膝を交えて話し合うことの大事さを、改めて教えてくれた出来事だった。

そこで僕は、「保育士試験を通年化、少なくとも年2回にしてください」ということを提言することにした。

†特区出したら、潰すから

まずは厚労省保育課長に相談してみた。

「いやー、それは無理ですね。保育士の試験の回数を増やしても、絶対数が増えるわけじゃないでしょ。年に1回、4月の入園時期に間に合うように資格認定しているんだから、それで十分でしょう」

「いや、課長。保育所というのは、年度始めで定員が空いていても、年度途中で埋まっていくんです。育休復帰時期がバラバラだからですね。なので、保育士の採用需要というのは年度を通してあり続けるんです。保育士の産・育休による退職もありますし。年に1回の資格認定だと、タイムラグを作っちゃうんですよ」

「うーん。でも、コスト的に無理ですね。保育士試験は実技があるので、会場が必要です。今は大学の夏休みの時間を安く借りているからコストが低く抑えられているんです。それができなくなると、試験運用コストが大きくなってしまいます」

「いや、課長。そのコストはたかが知れているでしょう。それよりも保育士不足の方が大きな課題ですし、必要な施策には予算を割けばいいだけの話かと」

と話は平行線だった。

そこで、僕は**国家戦略特区制度**を活用することを思いついた。

国家戦略特区制度[7]は簡単に言うと「全国で制度を変えるのはすごく大変だから、ある地域に限定してルールを変えるよ。良い感じだったら全国に広げようよ」という制度だった。

以前、厚労省管轄のとある謎ルールに阻まれて困っていた時に、国家戦略特区制度を活用して、「この謎ルールを変えてください」と提案書を出したところ、数カ月で謎ルールが変わることになって驚いたことがあった。

あの仕組みを使えば、この不条理な保育士試験の回数問題を解決できるかも知れない。

そう思って、厚労省保育課長に、

「なかなか進まなそうなので、国家戦略特区に保育士試験の2回化を提出してみますね」

7　後に国家戦略特区制度は、森友学園・加計学園問題によって世論の批判を浴びることになる。一方で、本件のような公益に関する課題解決に役立っていたことは強調しておきたい。

と伝えた。
その瞬間、保育課長の顔色はサッと変わった。
そして彼はこう言い放った。

「特区に出したら、全力で潰しますから」

僕は一瞬、耳を疑った。官僚の人たちは、仕事においてあまり乱暴な物言いをしない。しかしそのはっきりとした物言いには、明らかな敵意が含まれていた。

これは後で聞いて知ったことだが、国家戦略特区制度は多くの省庁にとって嫌われ者だった。改革される側にしてみたら、自分たちが作って問題なく運営している制度にケチをつけられ、すぐに変えろ、と言われるのは非常に不愉快なことだった。

さらに制度を変えることに伴う作業は追加的なもので、ただでさえ大変な通常の業務に加えて乗っかってくる類いのものだ。だとすると、厄介ごと以外の何物でもない。外部のよく分かっていない素人が合法的に制度改正を提案でき、それに付き合わされる制度。それが国家戦略特区だった。嫌がるのもうなずける。

しかし僕はそんなことには構わず、国家戦略特区に提案を行うことにした。

厚労省保育課の皆さんには大変申し訳なかったが、大義はこちらにある、と確信していたから。

†官僚VS官僚

国家戦略特区は有識者の方々が委員となって、そこで提案をプレゼンする。有識者の方々の反応は「なんでこんな当たり前のことやらないんだろう。早くやろうよ」というようなものだった。

国家戦略特区を担当する内閣府官僚のFさんには、厚労省を呼び出しできない理由を有識者の方々の前で話してもらい、有識者の方々が「そんなわけないでしょ」と突っ込む、というワーキンググループを繰り返した。

Fさんは言った。

「いやあ、これは相当固いですね。厚労省は保育士試験をつくるのを外部の団体に委託しているわけですが、そこが相当嫌がっているようです。試験をつくるのには1年は絶対かかるし、学者の方々も試験問題を作れるのは限られた人しかできないって言ってるし」

規制改革をミッションとするFさんは、各所を駆け回り、厚労省側が出してくる「できない理由」に対し、「こうすればできますよね」という反論を打ち返していった。まるでテニスのラリーのようだった。

時々「駒崎さん、厚労省がこう言っているのですが、現場では本当にそうなんですか？」等、質問が入る。それに対し、「いや、それはそんなことはなくてですね」とコメントを入れる。テニスのダブルスのように、ラリーに僕も加わり、打ち返しは延々と続いた。

ある日Fさんから電話が入った。

「やりましたよ。ついに厚労が折れました。この試合、我々の勝ちです」

2014年10月に「国家戦略特別区域法及び構造改革特別区域法の一部を改正する法律案」が閣議決定された。そこには2回目の試験で受かった保育士を「地域限定保育士」として認める、ということが書かれていた。

そして翌年2015年、神奈川・大阪・沖縄・千葉において、地域限定保育士試験がスタート。保育士試験が2回化されたのだった。

厚労省の「そんなことをしても意味がない」という主張とは裏腹に、結果として保育士受験者のうち、2回目受験者が1割に及んだ。

この結果を受けて翌年2016年から、4府県だけではなく、**全国で通常の保育士試験の2回化が始まる**こととなった。

特区で生み出された**実験が、1年で本体を変えてしまった**のだった。

「散々言ってた、あのできない理由はなんだったんでしょうね？」

Fさんは電話口で苦笑して言った。

どうやら潰されたのは保育試験の2回化ではなく、根拠のない「できない」という思い込みだったようだ。

あれから5年以上経ち、保育士試験が2回なのは当たり前になった。僕は知人から「保育士試験受かったんですよー」と聞くと「1年のうち、何回目の試験だった？」と聞く。「2回目ですけど？」と不思議そうにその人が言ったら、僕は心の中でガッツポーズを取る。誰も保育士試験を増やすために僕やFさんが駆けずり回ったことを知らないし、これから思い出されることもないのだけど、今の「あたりまえ」の土台には、誰かの汗が染み込んでいるんだよ、ということに、僕は改めて思いを致すのだ。

第5章 社会の「意識」を変えろ イクメンプロジェクトと男性育休義務化

If you want to go fast, go alone. If you want to go far, go together.

African Proverb

速く行きたいなら、ひとりで行け。遠くに行きたいなら、みんなで行け。

アフリカの諺

政策起業は職人的なノウハウを必要とするが、1人でできることは限界もある。チームでやっていくことで、得意を持ち寄ることができ、モチベーションも持続させやすい。この章では政策起業家がチームを組んで制度や法律を変えていくことの有用性について語りたい。

†イクメンプロジェクトの発足

2010年6月、長妻昭厚生労働大臣との記者会見の席に僕はいた。

「厚生労働省イクメンプロジェクト」発足記者会見。

そう銘打たれた会場には、父親支援NPOのファザーリングジャパン安藤代表、株式会社ワークライフバランス小室淑恵社長、横浜市の山田正人副市長などが委員として座り、カメラのフラッシュが眩しい中、僕も作り笑いを浮かべていた。

2010年当時、男性が家事や育児に関わるという文化は、ほぼ存在していなかった。しかし第二子以降の出生率が男性の家事・育児時間と強く相関している、というデータもあり、政府は何とか男性の育児参画文化を創りたいと思っていた。

僕に厚労省イクメンプロジェクトから声がかかったのは、病児保育のＮＰＯの経営者であったことと、働き方改革、特に男性の働き方を変える必要性を積極的に提唱していたからであったが、厚労省からの依頼を引き受けた理由は、ごく個人的なものだった。

僕は両親が共働きの家庭に育った。13歳と10歳離れた姉が２人いる５人家族だった。両親は共働きではあったが、家事・育児は母親が１００％担っていた。母は競馬新聞を卸から町のタバコ屋さんにスーパーカブで配達するという自営業をやりながら、僕たち３人の子どもたちを育てた。

父がレンジでチンをすることも見たことはなく、キャッチボールをして遊んでもらった記憶もない。父に関する記憶があまりなく、「父親」というものがよく分からなかった。

むしろ母に全てを押し付けている父の姿に疑問を抱き、好きになれなかった。自分はあんな風にはなりたくない。あんな父親には、絶対に。

やや大きくなって、姉から父の生い立ちを聞いた。

父の父、僕の祖父はまだ赤ちゃんだった父を残して、硫黄島に出征していた。今でも祖父が書いたセピア色の葉書が残っているが、そこには生まれたばかりの子どものことばかり心配する、20代の祖父の言葉が記されている。

硫黄島は玉砕で有名な戦場だ。僕の祖父もその他の約1万8000人の若い兵士たち同様、戦死した。

よって、父は物心ついた時には自分の実の父親は既に死んでいて、顔も知らなかった。代わりに再婚によって駒崎さんという義理の父が家に来た。

義理の父の駒崎さんはクリーニング屋で頑張って働いていたが、生活は貧しく、小さな妹の面倒を父が見ていたようだ。連れ子であったからなのか、生活がいっぱいいっぱいだったからかは分からないが、父は自分の義理の父から愛されて育てられたという記憶はないらしかった。

結果として、父は「父親らしさ」を体験せず、知らずに育った。それによって自分がどう子どもたちに父親として振る舞えばいいのか、父親らしく接すればいいのか、分からなかったのだ。

そんな話を姉から聞いて、僕は恐怖した。

「父を知らない」という意味では、自分もそうだ。「父親らしさ」に触れたことは、一度もない。そうだとすると、自分もまた父親として振る舞うことができず、子どもに父親としての愛を伝えることができなくなるのだろうか。

その連鎖を、輪廻を、どこかで断ち切らねば。

そう思って、僕は父親に「なる」ことを意識的に選択した。

世の男性の働き方を変え、良い父親になろうと声をあげたのも、イクメンプロジェクトに参画したのも、そうした極めて個人的なバックグラウンドがあったからだった。今思うと「過剰に」父親になろうとしていたのかもしれない。

†イクメンプロジェクトの成功

「それにしても何が**イクメン**だよ、まったく……」

さる広告代理店が持ってきたというネーミングアイデア。国民に広く浸透させるには、「ワークライフバランス」とか「男性の家事・育児参画」とか難しい言葉では役に立たない。そこで、容姿の優れた男性を「イケメン」と言うことに引っ掛けて、育児をするメンズ、すなわちイクメンという言葉が生み出された。

しかし、それまで必死に真面目な言葉で男性の家事・育児参画の旗振りをしてきた自分としては、こんな浮ついた言葉が世の中に広がるのか、いまいち自信は持てていなかった。しかし厚労省が珍しく官民一体となったプロモーションプロジェクトを始動させたのだから、その機会を生かさない手はない。何とかメディアに売り込んで、世の中にイクメンという概念を広げ、それに感化されて育児に参画する男性を増やさねば。

発足会の記者会見は多くのメディアに取り上げられ、政府がキャッチーなネーミングを振りまいたのがメディア受けし、様々な媒体で「これからはイクメンの時代」というような特集が組まれた。あれよあれよと言う間に、イクメンという言葉の国民認知率は9割を超え、男性が家事育児に関わる、ということはポジティブに受け止められるようになった。

†伸びない男性育休取得率

我々はあの手この手を打っていった。ロールモデルを増やすために「イクメンの星」を選考して表彰。「イクメン企業アワード」を開催し、男性の育休取得や働き方改革に前向きな企業を表彰した。男性の働き方改革や育休取得を阻む最大の壁は上司であることから、「イクボス」アワードも開催し、部下の仕事と両立を支援する上司を表彰することもした。

しかし、イクメンの認知は上がったが、男性の家事・育児参画時間[1]や、男性の子育て参画の重要な指標である**男性育休取得率は思ったように伸びなかった**。

男性の育休取得がなぜ重要か。まず、**産後の妻の命を救う**ことに繋がるからだ。産後1年までに死亡した妊産婦の死因で最も多いのは「**自殺**」だ。その要因と言われているのが「**産後うつ**」だが、産後うつの発症リスクは、産後2週間から1カ月がピーク。うつを防ぐには「十分な睡眠が取れること」と「朝日を浴びて散歩ができる」ような環境が重要だが、産後は2時間ごとの授乳や夜泣き対策があって、家の中に引きこもって睡眠不足になりがちだ。それが結局妻を産後うつへと追い込む。

この時期に夫が育休をとって夜中の育児を一緒に支え、妻が休める時間をつくることは、妻の命を救うことに繋がる。

（ちなみに僕自身は2010年と2012年に、2カ月の育休を2回取っている。最初の出産の

1　6歳未満の子どもを持つ妻・夫の1日の家事・育児時間は、2011年時点で、妻が461分で夫が67分。2016年時点で、妻が454分で夫が83分。約6倍妻が家事育児をしていることになる（総務省「社会生活基本調査」）。

4-2　夫の休日の家事・育児時間別にみたこの11年間の第2子以降の出生の状況

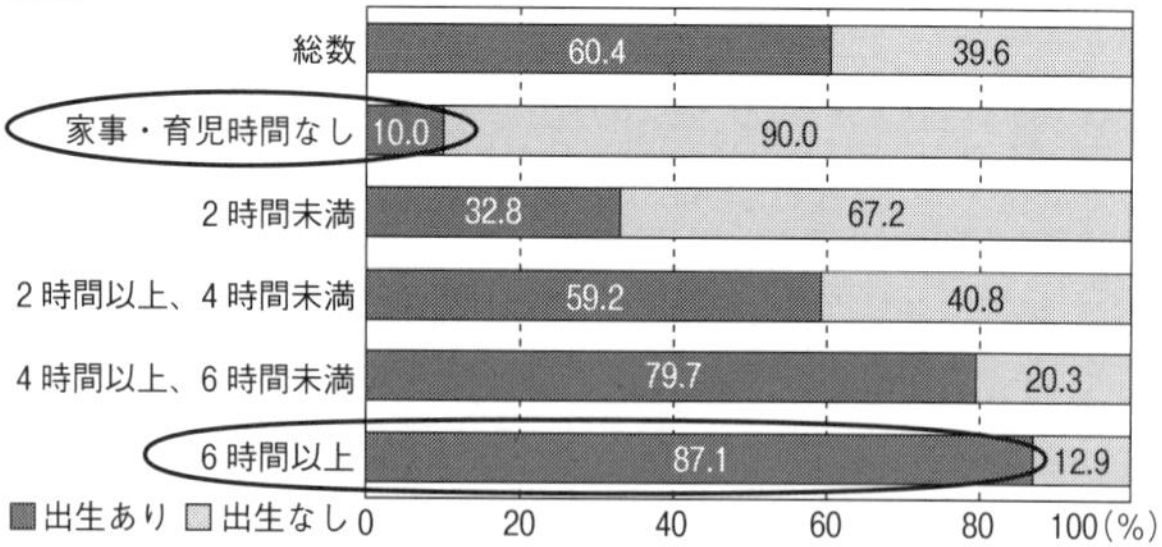

注1．集計対象は、①または②に該当し、かつ③に該当する同居夫婦である。ただし、妻の「出生前データ」が得られていない夫婦は除く。
①第1回調査から第14回調査まで双方から回答を得られている夫婦
②第1回調査時に独身で第13回調査までの間に結婚し、結婚後第14回調査まで双方から回答を得られている夫婦
③出生前調査時に子ども1人以上ありの夫婦
注2．家事・育児時間は、「出生あり」は出生前調査時の、「出生なし」は第13回調査時の状況である。

注3．13年間で2人以上出生ありの場合は、末子について計上している。

注4．「総数」には、家事・育児時間不詳を含む。

出典：厚生労働省「第14回21世紀成年者縦断調査（平成14年成年者）」（2015年）

際に、出産直後から「赤ちゃんが可愛いと思えない」と妻の精神状態が不安定になり、産後うつ的な状況になった。夜のミルク当番を僕が行って妻に休んでもらったが、もし自分が育休を取っていなかったらどうなっていただろうか、と思うとゾッとする。）

さらに、男性育休の意義はある。

夫の休日の家事・育児時間が全くない場合と、6時間以上家事育児をしている場合、全くない場合が10％なのに対し、6時間以上の場合は87％第二子を出産している。その差はなんと**9倍**近い。逆に言うと休日で夫がたった6時間家事・育児をするだけで87％の家庭で第二子が出生するなら、男性の家事・育児参画ほど

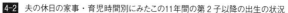

効果の高い少子化対策もなかなかない[2]。

夫が家事・育児参画するためには、夫が父親になるプロセスを経なければならない。OSを**「男性」から「父親」にインストールし直さなくてはいけない**。そのためのブートキャンプが男性育休なのだ。育休によってどっぷりと赤ちゃんと関わり、そのままならなさ、1人でみることの大変さを「体感」する。妊娠期間を経ないことで物理的な体の変化が訪れない男性にとって、育休こそが親になるためのスイッチとして機能するのだ。

かくいう僕も、保育事業をやっていたことで子育てのことは分かっていたつもりだったが、自分の育休時の夜泣き対応によって、心底**「ああ、これは1人では無理だ……」**と体で理解したものだった。

そんな大事な男性育休だが、イクメンプロジェクトがどれだけ啓発事業をやろうと、当初の2%から5%(2017年)に上がっただけで、たいした伸びを示さなかった。

2　相関関係と因果関係は異なるので、単純に「夫の家事育児が原因だ」との断定はできない。しかし子育てをされたことがある方は分かる通り、第一子で「こんなに大変だったら2人目なんて無理だわ」という感覚は、ワンオペだったらより強まることは想像に難くない。

極めつけは、新しくイクメンプロジェクトに迎えた著名人委員の一言だった。

†もうイクメンとかって寒い

2018年、数々のテレビのヒット番組を手掛けた著名プロデューサーのおちまさとさんが厚労省イクメンプロジェクト会合の中、おもむろに言った。

「もうイクメンとかって、寒いですよね」

行ったことはないが、会議の場が一瞬で南極に変わった。

トイメンの厚労省課長の顔面が完全に固形化している。

「最初は家事育児をやる男はかっこいい！　って国民に思ってもらうために意味があったかもしれないけど、今はイクメンぶってるやつはダサいし、本当はそこまでやってないのにアピールだけがすごい、〝なんちゃってイクメン〟みたいなのも出てきている。それに、本当に大事なのは政府目標である2020年までに男性育休取得率を13％にすることでしょう？　今の倍ですよ？　このままシンポジウムとかアワードやってて、それが達成できるんですか?」

重苦しい空気が流れた。

座長である僕は苦笑しながら場をとりなしたが、内心「おちさんの言うことは悔しいがもっともだ」と思った。

固まっている厚労省課長に聞いた。

「確かにおちさんのおっしゃる通り、このまま啓発を続けているだけでは、政府目標は達成できないのは明らかです。啓発を超えて、なにか制度改正に繋がるようなムーブメントを、この場で議論できないでしょうか? 去年と同じようなシンポジウムを今年も微修正して行っていくのは正直意味が薄いです」

厚労省課長は僕の目を見ずに言った。

「座長、このプロジェクトは、あくまでイクメンや男性育児休業の啓発事業であり、そのために予算が取られているのでありまして……」

他の委員が二、三抗議の声を発したが、結局は去年と同じシンポジウムとアワードの議題を片付けなくてはいけなかった。

次の回の会合で、僕は厚労省に言った。「大変申し訳ないですが、いつも2時間のこの会合を、僕が議事進行を頑張るので、1時間半で終わらせます。残りの30分は厚労省イクメンプロジェクトと関係のない、私的な会合として委員の皆さんと相談の場を持ちたいと思います。ガチでどうすれば男性育休取得率が上がるのか、ということを話し合うための」

僕は小室淑恵さんやおちまさとさん等他の委員たちと会合の後の「放課後」に話し合いを重ねた。

「啓発だけじゃ限界があることは明らかだ。8年やってこれだもん」

「もういっそのこと、〝イクメン敗北宣言〟の記者会見開こうよ」

そんな意見が出る中、「もうさ、**男性育休を義務化しちゃえばいい**んだよね。みんな絶対取る。そういう制度にしちゃうわけ」と誰かが雑談めいた口調で言った。

それだ。**男性育休義務化**。これを新たな旗として立てたらどうか。なによりワーディングがキャッチーだ。世の中にイシュー（社会課題）として認知をしてもらう時にはのっぺりしたなんのひっかかりもない単語よりも、多少の棘や違和感を含んでいる単語の方が広がりやすい。反対もされるだろうが、スルーより何倍もいい。

委員の小室淑恵さんに個別に相談したら「いいわね、駒崎くん。やりましょうよ」と頷いてくれた。

すぐに子育て中のパパママのネットワーク「みらい子育て全国ネットワーク」代表の天野妙さんに電話をした。天野さんのパパママ当事者たちの動員力はすごい。このイシューは当事者たちが声をあげていかないといけない。彼女たちの力が必要だ。男性育休義務化のアイデアを話すと、天野さんも快諾してくれた。

天野さんはハフポストの記者さんを2人連れてきてくれた。泉谷由梨子さんと中村かさねさん。世論に働きかけないといけないテーマなので、メディアの人が**キャンペーンパートナー**として入ってくれるのはとても心強い。僕と小室さんと天野さん、記者さん2人で「男性育休義務化プロジェクト」を結成し、政策起業を始めることとなったのだった（数カ月後に、父親支援NPOファザーリング・ジャパン理事の塚越学さんが加わって、そのうち自分たちを盛り上げるために「**男性育休義務化アベンジャーズ**」と称するようになる）。

†前向きな政治家たちとの出会い

時計の針を少しだけ戻すと、天野妙さんも同時期に育休取得率の低さに業を煮やし、僕らの動きを全く知らず、男性の育休制度に疑問符を投げかけるイベントを仕掛けていた。イベントはイシューを社会に打ち出すきっかけになることが多く、メンバーたちのモチベーションも上がる。

そうして「男の産休[3]義務化したらどう？」院内集会が2018年10月31日に開かれた。院内集会というのは、議員会館の会議室を借りて行うイベントのことで、国会議員が来やすい、ということで政策的な主張を行いたい時はよくやる手法だ。

登壇者は天野さんの他、ハフポスト日本版の竹下隆一郎編集長、労働経済学者の方などなど。そこに与党で唯一来てくれたのが自民党の木村弥生議員だった。木村弥生議員は、シングルマザーの元看護師でそこから国会議員になった人で、子どもや子育て支援政策には関心が強い（第3章参照）。

天野さんは院内集会に来てくれた木村弥生議員とアポを取り、深く語り合った。木村弥生議員がなぜ議員になったのか、どんな政策を実現したいのか、何を悩んでいるのかを聞いた。天野さんも自らの人生と問題意識を語った。そして意気投合し、「同志になった」気持ちを持ったという。

その1カ月後、木村弥生議員から天野さんに連絡が入った。「自民党の和田義明議員が、男性育休義務化を口走っていたよ。コンタクト取ってみたら？」という情報が寄せられた。天野さんは、早速和田議員に会いに行く。ラグビー選手のようながっちりとした商社出身の和田議員に天野さんは「男性の産休・育休を必須化した方がいいと思っていまして……」と提案した。

和田議員は「天野さん、必須化は弱いよ。〝義務化〟くらい言わないとこの国は変わらないよ」と語り、天野さんは驚いた。義務化は高すぎる球だと思ってマイルドに提案したが、むしろ高い球を投げ続けろ、という意見が議員から出るとは思わなかったからだ。

更に天野さんの突撃は続く。参議院の予算委員会公聴会に「子育てしやすい国にするに

3　当時は「男の産休」というアイデアと、「義務化」が混然とした状態だった。徐々に「男性産休」と「男性育休義務化」という2つのイシューとして扱うようになっていく。

は」というテーマで呼ばれ、そこで「男性産休義務化」を訴えたのだった。高い球を、参議院で思いっきり投げたのだ。その場で松川るい議員と出会う。外務省出身のママ議員だ。彼女は天野さんに「私も男性育休義務化した方がいいと思ってるの！」といたく賛同している様子だった。

一方、企業数百社のワークライフバランスコンサルティングの実績を持つ小室淑恵さんは「企業も男性育休を嫌がっていない」という社会的な発信を行おうと考えた。男性育休義務化に真っ先に反対するのは企業や経営者たちではなかろうか、と。ならば先んじて「意識の高い企業たちはむしろ男性育休義務化に前向きだ」という空気を創ろうと考えたのだ。

２０１９年３月18日、小室さんは企業２００社を集め、各社に「男性育休１００％宣言」をその場で行ってもらった。コミットメントを引き出したのだった。そして講演者として呼んだ**小泉進次郎**議員からも**「僕にそういうことがあったら、僕も（育休を）取ります」**という言質を引き出した。

当時はこの発言がどんな意味を持ってくるかは誰も予想はしていなかったが、後に男性育休ムーブメントをつくる上で、重要な布石となる。

†男性育休義務化議連の発足

「男性育休義務化の**議連をつくろう**と思っているの」

2019年4月6日、松川るい議員と和田義明議員に参議院議員会館の会議室に呼ばれた僕と天野さん、小室さんはびっくりして目を2倍くらいにしながらお互いを見た。

マジか。マジだったら嬉しい。しかし当選してから期も浅い若手の議員たちが議員連盟なんてつくれるのだろうか。いろんな思いが胸にやってきては消える。だが本当であれば、とりあえず政策を現実化する推進力が手に入る。議連はそのテーマに興味関心のある議員が集い、会合を何度も開き、提言を党に打ち込み、それが政策に反映されるからだ。

もちろん議連といっても玉石混交で趣味のサークル的なものもあり、議連が作られれば即政策化というわけではないが、うまく活用すれば政策化には間違いなくプラスになる。

半信半疑の我々だったが、その場で男性育休義務化の法律を創るとしたら、こういう内容にした方が良い、ということを伝え、松川・和田両議員は熱心にメモを取っていた。

その1カ月後の5月18日、**「男性育休義務化議連の発足！」**というニュースがTwitterタイムラインに浮上した。マジだったのだ。我々は色めき立った。議連を軸に案を提起していき、政治的なイシューにしていけばいいのだから。議連発足会は6月5日に決まり、我々も呼ばれることになった。

その発足会の3日前、カネカ事件が勃発した。カガクでネガイをカナエル会社というテレビCMでお馴染みの化学メーカーのカネカが、育休復帰後2日の男性社員に対し関西転勤の辞令を出し、有給休暇も取らせなかった末退職せざるを得ない状況に追い込んだということが、妻のSNS書き込みを発端に大炎上した事案だ。

キャンペーンパートナーのハフポストさんが素早く本件を大きく取り上げてくれ、各社メディアも続いた。

転勤命令自体は違法性がないが、新居も買って子どもの通う保育園も決まっているのに1カ月後に転勤を命じる、という企業行動は、多くの人々にとって**パタニティ・ハラスメント**（パタハラ）として認識され大きな批判が巻き起こった。結果として同社の株価は大きく下落した。

さらに議連発足会の前日、男性育休取得率が発表。前年5・14％に対し6・16％という政府目標の13％からも程遠いショボい結果となったことに、「このままじゃダメだ」感が強まった。

そこに来ての男性育休議連発足だったので、メディア各社がものすごい勢いで食いついてくれ大々的に報じられたのだった。議連参加議員たちも社会の注目を一身に浴びていて高揚していた。

「これは波が来てます！」

ハフポスト泉谷記者はメディアの中の人の独自の嗅覚で、時代の風が吹いていると語った。

男性育休義務化アベンジャーズは大いに勢いづいた。

†バス停で倒れる

自分の見ている景色がいつもと違うことを認識するのに、何秒か時間がかかった。いつもは下にある地面が目の前にある。直前の記憶がない。確かバスを待っていたはずだったけど。

　顔が血だらけになりながら、近くの人に連れられて、目の前の耳鼻科にとりあえず連れていかれて、とりあえずということでベッドに寝かせられた。ここにはレントゲンが無いから大きな病院に行かれた方がいいと思います。起き上がれるまでここにいても大丈夫ですが。という看護師さんのアドバイスを虚ろな思いで聴いていた。

　何で倒れたのかな。普通に生きてて特に悪いところもなかったはずだけどな。それにしても歩道側に倒れて良かったな。あとちょっとずれてたら車道に倒れてて、そのまま轢かれてた。そしたらベッドじゃなく棺桶に寝てたな。

　そう考えると、死って突然来る。自分が死んだことにも気づかないんだろうな。そうなった時に、自分のやっているプロジェクトとか仕事も途中で終わるだろう。悔しいな。絶対にゴールを見たい。でも、やりかけた仕事も、誰かと一緒にやっていたら、志をその人たちが繋いでくれて、彼らが志を果たしてくれるんじゃないか。

　自分だけで抱えていたら自分が死んだら終わりだけれど、誰かと一緒に走っていたら、誰かがゴールテープを切ってくれるのではないか。だから、政策起業も誰かと一緒にやるのが大事だし、自分のやり方や学んできたことを、次の世代に伝え、育てていくことが大事なんだろう。うん、自分がいつかいなくなっても、**志のバトンを繫げていけるような、そんな生き方をすればいい**んだ。

「患者さまー、大丈夫ですか」

むっくりと起き上がった僕を心配するように看護師さんが声をかけてくれた。

「お世話になりました。大丈夫です。そして自分がこれからどうすればいいかも分かりました」と答えた。

看護師さんの「そうですね。大きな病院で検査してきてくださいねー」という言葉を背に、小さなクリニックを後にした。

†巨象が進む道を掃除する

男性育休議連の2回目総会は発足会の約2週間後、6月17日に開かれた。松川議員たちはそこで、「安倍総理がきたる参議院議員選挙の公約に入れようよ」と言ってくれたこと。しかし印刷が間に合わなかったことを報告していた。

代わりに6月21日、経済財政運営と改革の基本方針、通称「骨太の方針」に「男性育休取得を一層強力に促進する」という文言が入った。**骨太に文言を入れるということは、政**

策を実現するために重要な一歩となる。

骨太の方針発表から1週間後、アシックスの男性社員が同社よりパタハラ・パワハラを受けたとして同社を東京地裁に提訴する事案が発生。第一子が誕生した後、約1年間の育児休業を取得した男性は、復帰初日に肉体労働をする現場に出向を命じられたという。こうした報道と同社の炎上も、男性育休義務化ムーブメントに新たな火をくべた。企業側の意識を変えなくては。そのためには義務化しかない、と。

議連が進む道を舗装していくために、育休や労働問題の専門家たちの理解を得ようと、アベンジャーズは専門家との対話を重ねた。特に政府の審議会に参加するような**専門家や有識者に猛烈に反対されると、政治家は政策を進めづらくなる。**一人ひとり会って男性産休について、そして男性育休義務化の意義について理解を求めた。

専門家の間でも、評価は割れていた。特に「義務化」というところが争点だった。世論を惹起しやすいよう、義務化という高い球を投げた我々だったが、これは労働者にとっての義務（育休を取る義務）ではなく、企業にとっての義務（周知する義務）を意味していた。しかし「男性育休義務化」だけだと、どちらの義務か分かりづらい。この分かりづらさが世論を惹起するポイントともなっていたが、同時に反対派を生み出す要因にもなっていた。

「私は義務化には反対です。労働者の権利を侵害しますよね」

「先生、これは労働者への義務ではなく、企業の義務という意味です」

「今でも企業は労働者から育休申請が来たら、受けなくてはならないですよね？」

「はい、しかし企業に育休申請をするのがハードルになっています。そこを、企業側から『取りますよね？』とプッシュ型で労働者に伝えていく。そこを義務にしようとしているんです。言われたから取らせる、ではなく、取ってもらえるよう促す、という風にデフォルトを変えるんです」

「それをするのに法律まで変える必要ってありますか？　国が企業にしっかり伝えていけばいいだけでは」

「先生、これまで8年近く啓発を続けてきて、それでカネカやアシックスみたいなことが起きてるんです。もはや啓発や『しっかり伝えていく』だけではダメなんです」

というようなやりとりを重ねていった。当初は難色を示していた専門家の方々も、2時間ほど議論すると、概ね賛成ただし……というような条件付きの賛成を示してくれるようになっていった。

政策は政治家だけで決めると思われがちだが、反対する人々がたくさんいたら、いくら政治家が盛り上がっても政策は実現できない。**反対派に如何に納得してもらえるか、もまたとても重要な要素**なのだ。

†小泉進次郎電撃さずかり婚発表

２０１９年８月７日、若手人気政治家の小泉進次郎議員が、これまた人気キャスターの滝川クリステルさんと電撃的にさずかり婚を発表しお茶の間の話題を沸騰させた。

「これはチャンスだ」

育休アベンジャーズは違う意味で盛り上がった。国民に人気の小泉議員が男性育休を取れば、男性育休義務化ムーブメントに間違いなくプラスになる。何とか小泉議員に育休を取ってもらえまいか。

５カ月前に小室さんのイベントで「僕にそういうことがあったら、僕は取ります」と言っていた小泉議員だが、さずかり婚発表当初は育休取得については何も発言していなかった。小泉氏に近いルートで彼の意向を聞いてみたが、「迷っているようだ」という情報しか入らなかった。

さずかり婚発表から３週間。僕と小室さんは三重県の鈴木英敬知事のもとを訪ねた。鈴木知事は都道府県知事として初めて育休を取った[4]イクメン知事だ。

「ええよ、ええよ。進次郎から相談来たら、ちゃんと説明して励まそうってことやろ？政治家は何やっても叩かれるからなー。支えてやらんとな」

同時に小泉議員に親しい人に対し、小室さんが「こう取れば、国会日程的にも大丈夫なプラン」を作成して送信。彼の懸念点を払拭できるよう尽くした。

しかし、ある事件が、育休アベンジャーズを絶望の縁に叩き込む。

小泉進次郎、文春砲に被弾

２０１９年12月19日、ネット上を「小泉進次郎、人妻不倫」という言葉が駆け抜けた。彼自身が独身時代に、既婚者と関係を持ったという真偽の不明な記事で、たとえ本当だったとしても何年も前の個人のプライバシーに関することなのに、ＳＮＳ上ではタイトルし

4　首長として初めて男性育休を取ったのは、文京区の成澤廣修区長で２０１０年のこと。鈴木英敬氏は当時、成澤区長の育休取得に反対するブログをアップ。しかし主張を変えて、２０１２年に自ら育休を取得。こうした事例からも、反対派が常に「敵」ではない、ということを胸に留めておくべきだ。

か見られないのでそのままお茶の間ネタとして拡散。大炎上となった。

爽やかな好青年がパパになって男性育休を、というストーリーが破綻しかけていた。

僕はニュースを見ながら、フラッシュバックを起こしていた。


思い起こせば2016年。政治家で初めて男性育休を取ろうとしていた宮崎謙介議員と僕は意気投合した。「男が育休なんて」と、自民党内からおおいに圧力をかけられていた宮崎議員を励まし、そのまま負けずに育休を取ってもらい、そして世の中の男性たちを鼓舞させようとしていた。

日経デュアルのWEB紙面上で対談をし、彼の言い分と、育休を取る意義を語り尽くしたいい記事の草案ができた。いざ、翌日にアップだ、という段階になって、宮崎議員から一本の電話が入った。

「駒崎さん、ごめんなさい。対談、外に出せなくなりました」

「え!!　どういうことですか?」

「文春に撃たれました……」

週刊文春に自らの不倫を取り上げられ、宮崎議員はそのまま議員辞職。

僕はせめて男性育休のイメージを守ろうと、「宮崎議員は嫌いになっても、男性育休は嫌いにならないでください」というブログ記事を発信してそこそこバズりはしたが、結局盛り上がった男性育休のイメージは、報道とともに地に堕ちてしまった。

あれから3年越しの政治家による男性育休取得のチャンスだったが、今回も潰されるのか……。

いや、諦めてはダメだ。むしろ男性育休取得によって、ダダ下がった小泉議員のイメージをV字回復できるかもしれない。

年末押し迫った12月27日に、僕と小室さんは小泉議員のもとを訪れた。少し疲れた様子の小泉議員は、それでも笑顔で僕たちを迎えた。

「正直、まだ決めかねていて……」

叩かれている中、さらに叩かれるのではないか。育休取得期間に、政治家としての責務が果たせないというのはどうなのか。様々な思いが彼の胸に浮かんでは消えているようだった。

僕と小室さんは、むしろ彼が範を示すことで、多くの日本の子育てをしたい男性たちを励ませること。それは何よりも政治家として責務を果たしたことになることを語った。

「よく分かりました。すごく勉強になった」

別れる時には、持ち前の爽やかさが戻ってきていたような気がした。議員会館の外に出ると木枯らしが吹き、我々二人は不安な思いを抱えながら、よいお年を、と言って別れた。


年が明けて1月15日。**小泉進次郎議員が育休取得宣言をした**ことがネットを駆け巡った。我々は小泉進次郎でエゴサーチをかけ、世の中の反応を見たが、結果は9割方はポジティブな反応だった。各著名人もおおいに彼を讃えていて、文春記事で下がった彼の評判は、一気に盛り返した感があった。


男性育休という言葉も、案の定良い印象の文脈でメディア上で躍り、我々は胸をなでおろした。やれやれ。

この後、のぼり調子で男性育休義務化の法制化まで行くかと思いきや、また新たな障害が発生した。

コロナである。

†コロナ禍が席巻

2020年2月下旬、新型コロナウィルスの蔓延によって、政府は突然の一斉休校を実施。子育て家庭は大混乱に陥った。4月7日には緊急事態宣言を発出。日本は経験したことのない事態に突入していた。

政策の多くはコロナ対応に割かれ、これまで進んでいた多くの政策はスタックした。男性育休もその一つだった。

僕自身も、**コロナ禍の中、困窮している子育て世帯に対して食品を送ったり**、消毒液が枯渇した医療的ケア児の家庭に消毒液やマスクを配ったり、子ども病院に防護服を配ったり、という災害オペレーションをフローレンスで行うことに忙殺された。

政策起業を行っていくにあたって、「時期が悪い」ということはままある。凪のように何の風も吹いておらず、どれだけ頑張って漕いでも、船が前に進まない、という状態だ。

コロナ禍に見舞われた2020年前半というのは、そうした状況だったのだ。

風が少し吹き始めたのは7月。**骨太の方針に男性育休義務化**が書き込まれた。骨太に入ることは、政府による、約束のようなものだ。それがアジェンダであり、やっていく方向性なのだ、ということを示す。

同じく7月末に男性育休取得率が公表。去年からたった1%しか変わらない、7・48%というがっかりな数値。やっぱりこのままじゃダメだ、という機運が再び戻ってくる。

9月には『男性の育休』という本を、小室さんと天野さんの共著でPHP新書から出版された。コロナ禍で大変な中、両氏は仕込んでいたのだった。**本を出す、というのは社会的なモメンタムをつくる手法の一つ**だ。本を読んだ人はそのアジェンダの重要性を理解できるし、人に理解させたい時は本を渡せばいい。政治家に読んでもらえれば、政策決定者である彼らにもしっかり伝わる。本を出すことで、メディアからの取材も来る。WEBやSNSでの議論が主戦場になった感のある2020年代だが、本はまとまったテーマを凝縮させるにはいまだに優れた手法だし、政策起業においてはモメンタムを生み出すツールとしてとても有用だ。

そしてオンライン出版イベントには和田議員、松川議員を呼んで、男性育休義務化の動きをリブートしてくれるよう要請。彼らも前向きに進めていこうという姿勢を示してくれた。

良い空気感が醸成されてきた矢先、9月30日に日本最大の影響力を持つヤフトピに男性育休に対して「**男性育休、7割が「義務化反対**」というネガティブな記事がアップ。思いっきり冷水をぶっかけられる事態となる。しかしそれに対しすかさず「男性育休義務化賛成」のプレスリリースを翌日10月1日に出すことで、**カウンターメッセージ**[5]をぶちあてた。

10月15日には菅総理から全世代型社会保障検討会議で「育休を取得することを推進する制度の導入を図る」という発言があった。この全世代型社会保障検討会議のアジェンダに男性育休が入るよう、以前から関係各所に対してお願い回りをしてきたのだったが、その成果がまさに出たのだった。

10月20日には田村憲久厚生労働大臣を育休アベンジャーズの主要メンバーで訪れた。田村大臣は大臣らしく「やります」と確約することはしなかったが、前向きな態度は感じられた。徐々に追い風が吹いているのが体感できた。

5　自分たちの実現したいテーマに対し、ネガティブなニュースや出来事に対して、その反対の意見や出来事を発表することを、「カウンターメッセージを出す」と言う。ネガティブなニュースや意見が連続すると世論がそちらの方向に流れしまいがちなところを、押し留める役割を持つ。

†「男性産休」案が労政審に提出される

２０２０年11月12日に労働政策審議会（労政審）に、突如として「**男性産休**」とも言える案が提出された。それは父親が生後８週までに最大４週取得でき、望めば休業中に一定の仕事をすることもできる、というものだ。

実は「男性に産休を」というのは、２０１７年６月１日の厚労省「仕事と育児の両立支援に係る総合的研究会」において、僕が提案していたことだった。厚労省の公式の場での提言としては、おそらく初めてのものだったのではないか、と思う。

以下に議事録から引用したい。

「提案の１つ目です。『男性産休』の創設です。今まで男性育休をやってきましたが、男性の産休の創設をやったらどうかと思っております。男性育休取得者の取得期間を見てみると、先ほども御説明がありましたが、１か月未満が８割を超えている状況だったわけです。また、○○委員もおっしゃるように、５日未満が56％ということで、ほとんど短期だということが分かっているわけです。

ということは、男性が長期的に職場を離れることは、心理的な抵抗があることが分かるわけです。やはり男性自身にも職場にも、1か月、2か月離れられたら、あるいは1年などはとんでもない、そのような雰囲気はまだまだあるところかと思っているわけです。これをいきなり育休取ってねというのは、まだハードルが高いかもしれない。そうならば、もう一段階前にスモールステップをつくってあげて、育休に踏み出してあげられるようにしていくのはどうだろうかということで、男性産休になるわけです。そもそも育休というと1年、長いというメッセージ性、パワースペクティブがあるのですが、産休は産まれたときに休むという形なので、そのような長いというイメージをこの言葉自体には持っていないわけです。

それならば低いハードルとして機能するのではなかろうかと思うのですが、諸外国の事例を調べたところ、フランスでは、2002年に11日間の「父親休暇」という名称になるのですが、実質上の男性産休を法制化しました。2013年、大体10年たったら約7割の対象者が父親休暇を取得した状況です。そのうち95%が、11日間全日数を消化していることになっているわけです。DREES、フランス政府調査評価統計局によると、子育て作業の父母負担に関して、父親産休の取得者数と子育て作業の父母負担の間にクロス調査を行って、両者の間に相関関係があることを報告しています。父親産休を取得した父親は、その後も子供の世話により多く参加しているということだったので、先ほど池田委員がおっしゃった何のために短期の休暇を男性に取らせるのかという問いに対しては、その後の家事・育児参加のコミットメントを引き出せる可能性が高まることになるのではなかろうかと思っております。より抽象的な言い方をするのならば、ある種父親になるときのマインドの切替えみたいなものの機会になっているのではないか、という仮説が成り立つのではないかと思っております。

その後のグラフはフランス語だったので、知人のフランスに住んでいらっしゃる方に要約してもらったものですが、このようなグラフになっています。父親休暇を取った父親と取らなかった父親で、差があるということが出ております。これを男性産休を推進していくときのエビデンスにしていけばいいかと思っています」

ダメもとで仕掛けておいた地雷が、ふとしたきっかけで3年越しに爆発したようなものだった。政策起業においては「蒔かぬ種は生えぬ」の精神で、「とりあえず提案しておく」ことが重要なのだ。

また、男性産休に盛り込まれた「休業中に一定の仕事をすることもできる」というのは、フローレンスが国家戦略特区を使って育休の規制緩和を提案していた背景があった。

僕自身2カ月の育休を2回取ったが、その間1日2時間だけメールや電話会議等をして、どうしても対応しないといけない意思決定は行っていた。これが「全く働いてはいけません」ということであれば、育休は取れなかったと思う。

このように、育休中でも望めば少し働ける、という**「半育休」**とも言うべき仕組みをつくることによって、男性が育休を取りやすくなるのではないか、と考えたのだ。当時の育休制度においても、月80時間までは働けることにはなっていたのだが、働くことが可能なシチュエーションとして災害時等が例示されていて、極めて限定的な運用になっていたため、なかなか世の中には知られていなかった。

そこで国家戦略特区で「もっと制度的に間口を広げて育休時にもフレキシブルに働くことを選択できるようにしてほしい」と厚労省職業家庭両立課（以下両立課と略称）にプレッシャーをかけていたのだ。

そうした文脈もあり、我々が提起していた男性産休が厚労省から案として労政審に出てきて、なおかつ産休中は「半育休」的なフレキシブルな働き方もできる、というのは望外の朗報だった。

しかし、労政審を構成する、経団連等の経済団体と労働組合、学者の反応は悪かった。休みが増えることに経済団体が反対するのは分かるが、労働者の味方のはずの労働組合も、男性産休案には反対した。

僕は怒りを覚え、ブログに以下のような記事を投稿しSNS上で拡散した。

◎「男の産休」創設に向けた攻防戦なう

我々の願いが数年越しで届いたのか、労働政策審議会という国の働き方に関わる会議で、厚労省は男性産休とも言うべき、産後8週間は男性も休めるようにしようぜ、と提案してくれたんですね。

その期間はちょこっと働けるようにしたり、分割して取れたり、今だと1ヶ月前に言わないといけないけどそれを2週間にしたり、と、とにかく取りやすい方向性で制度設計しようとしてくれている。

しかし、経団連や中小企業の業界団体は猛反対。１ヶ月前の申請にこだわったり、また、そんなことしたら中小企業には大きなダメージになる、と。

従業員の家庭に過度に負担を押し付けて、フリーライドしないと経営できない企業は、みんな潰れちゃえば良いんじゃない？　と、同じく中小企業経営者としては思うのだけど。

極めつけは、なぜか労組まで猛反対。労働組合は労働者のための制度じゃなかったっけ。10年くらいイクメンプロジェクトやってるけど、労組が男性の育児参画で前向きなムーブメントつくってくれたことってあったっけな、と。そんなんだったら、存在意義なんなの、と言いたくなる。

まあ、四方八方から反対されているけど、絶対に実現したい。

産まれた直後からワンオペ育児に放り込まれる母親を、１人でも減らしたいんです。自分の子育てなのに、妻にワンオペさせてそれが当たり前だと思っている父親を１人でも減らしたいし、そう言う姿勢を従業員に望む会社を一社でも減らしたい。

というわけで、皆さん応援よろしくです。

筆者と男性育休アベンジャーズ。国会本会議通過を見届けた後。和田議員も駆けつけてくれた

厚労省両立課長に電話すると「今何とか関係各所を説得していますので、怒らずに見守っててください。がんばりますので」と諫められた。

労働系国会議員に「厚労省を応援してほしい」とお願いに回った。

そして1カ月後の12月14日。全世代型社会保障会議で、「出産直後の取得を促すための制度創設（＝男性産休）や育休制度の周知を企業に義務付けるなどの方策（＝男性育休義務化）」が最終報告に盛り込まれ、翌15日に閣議決定が行われた。この閣議決定に基づき法案が作成され、国会を通過して、法律となる。

「イクメンってもう寒いですよね」とおちさんに冷水をかけられてから約3年。**我々は**

「男性の産休」と「男性育休の義務化」を制度化させることに成功したのだ。

年末に小室さんの家に集まって、振り返りと政策実現を祝う、ささやかな食事会を開いた。3年間を振り返って、幾度となく心折れそうになったタイミングを思い出した。

「でも、みんなで励ましあったから、へこたれずにやってこれたよね」

と誰かが言い、そうだそうだ、とみんなで頷く。

「いつか僕たち、『男が産休取らない時代なんてあったんですか？　昔ってヤバかったっすね』って言われるんでしょうね、きっと」

と僕が言うと、

「その時に年老いた私たちは、『そんな時代もあったかのう』ってほくそ笑むんじゃない？」と天野さんが言った。

早くそんな時代が来ればいい。僕たちのやったことは誰も覚えていなくても、子どもが生まれたら父親が仕事を休んで子どもと妻の側にいる、という文化さえ残ってくれれば、それでいいのだ。

そんな未来を想いながら飲む安いハイボールは、どんな高級ワインよりも美味いのだった。

第6章

「保育園落ちた 日本死ね!!!」SNSから国会へ声を届かせる方法

There is a crack in everything, that's how the light gets in.

Leonard Cohen (“Anthem”)

どんな物にも、ひびがある。でも、光が差し込むのは、そこからなのさ。

レナード・コーエン 「アンセム」より

「いつ」「どんな時に」政策は変わるのか。

そうした問いに対し、「**窓が開いた時**」と僕は答えるだろう。

その窓を開くのは誰か。

時にそれはある事件や事故、そして名もない個人であったりする。

†起点となった匿名ブログ

2016年2月15日「**保育園落ちた日本死ね!!!**」と題されたそのブログはアップ後またたくまにSNS上に広がった。

ブロガー議員として有名な音喜多駿議員がSNSで取り上げていて、僕はそこから知った。

歴史に残る名文なので、全文引用する。


何なんだよ日本。

一億総活躍社会じゃねーのかよ。

昨日見事に保育園落ちたわ。

どうすんだよ私活躍出来ねーじゃねーか。

子供を産んで子育てして社会に出て働いて税金納めてやるって言ってるのに日本は何が不満なんだ?

何が少子化だよクソ。

子供産んだはいいけど希望通りに保育園に預けるのほぼ無理だからwって言ってて子供産むやつなんかいねーよ。

不倫してもいいし賄賂受け取るのもどうでもいいから保育園増やせよ。

オリンピックで何百億円無駄に使ってんだよ。

エンブレムとかどうでもいいから保育園作れよ。

有名なデザイナーに払う金あるなら保育園作れよ。

どうすんだよ会社やめなくちゃならねーだろ。

ふざけんな日本。

保育園増やせないなら児童手当20万にしろよ。

保育園も増やせないし児童手当も数千円しか払えないけど少子化なんとかしたいんだよねーってそんなムシのいい話あるかよボケ。

国が子供産ませないでどうすんだよ。
金があれば子供産むってやつがゴマンといるんだから取り敢えず金出すか子供にかかる費用全てを無償にしろよ。
不倫したり賄賂受け取ったりウチワ作ってるやつ見繕って国会議員を半分位クビにすりゃ財源作れるだろ。

まじいい加減にしろ日本。

心を貫かれた。この叫び。怒り。やるせなさ。短い文章の中に、圧縮されたそれらは、僕の胸の中で弾けた。

気づいたらキーボードを叩いていた。勝手にアンサーソングを書かなければならない気分になっていたのだ。

◎「保育園落ちた日本死ね!!!」と叫んだ人に伝えたい、保育園が増えない理由こんばんは、都内で13園の小規模認可保育所を経営する、中小企業のおっさんの駒崎です。

今日は、ネット上でバズっている魂の叫びに、保育園現場から、また政府の審議会委員の立場から答えたいと思います。

【魂の叫び「保育園落ちた日本死ね!!!」】

ある保育園入園審査に落ちた方の、ネット上の魂の叫びが、さざ波のように広がっています。

「保育園落ちた日本死ね!!!」http://anond.hatelabo.jp/20160215171759

分かる、分かるよ。何が一億総活躍社会だよ、と。私活躍できないじゃん、と。その通り。

じゃあ、政府は何もしていないのか?

【実は保育所数は劇的に増えてるけど、待機児童は減ってない】

20年くらい前から少子化懸念が高まって、政府は待機児童対策をしてきましたが、あ

保育拡大量の推移

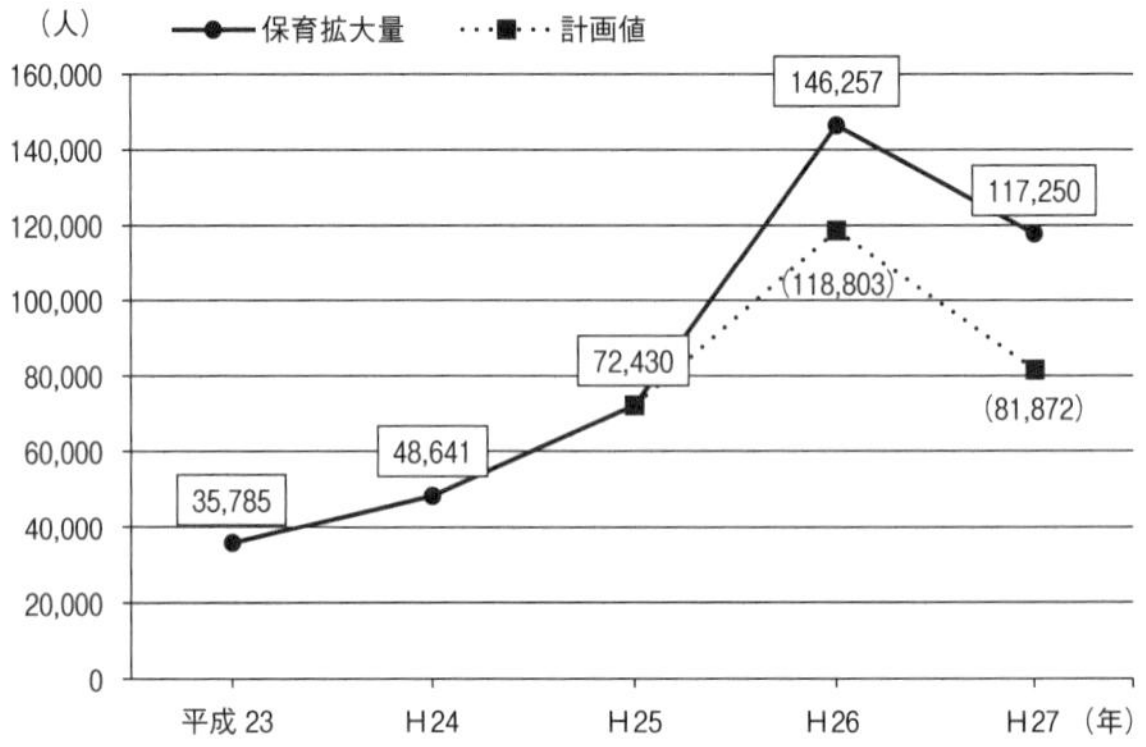

（内閣府子ども子育て会議資料より）

まりお金は使ってきませんでした。

遅きに失した感はありますが、ようやく消費税増税の一部を使う、という財源のメドをつけて、昨年4月から「子ども子育て新制度」という待機児童問題にガチで取り組みますよ、という方策を打ち出しました。

ということもあって、平成25年度あたりからグンと保育の拡大量が伸びました。

しかし、認可保育所に申し込む人が増えたこともあり、待機児童は減らせず、むしろ若干増えている、という状況なのです。

この2月の入園結果は、まだ統計には組み入れられていないので、確たることは言えないのですが、おそらく今年も状況は昨年と似たようなものではないか、と想定さ

待機児童数の推移

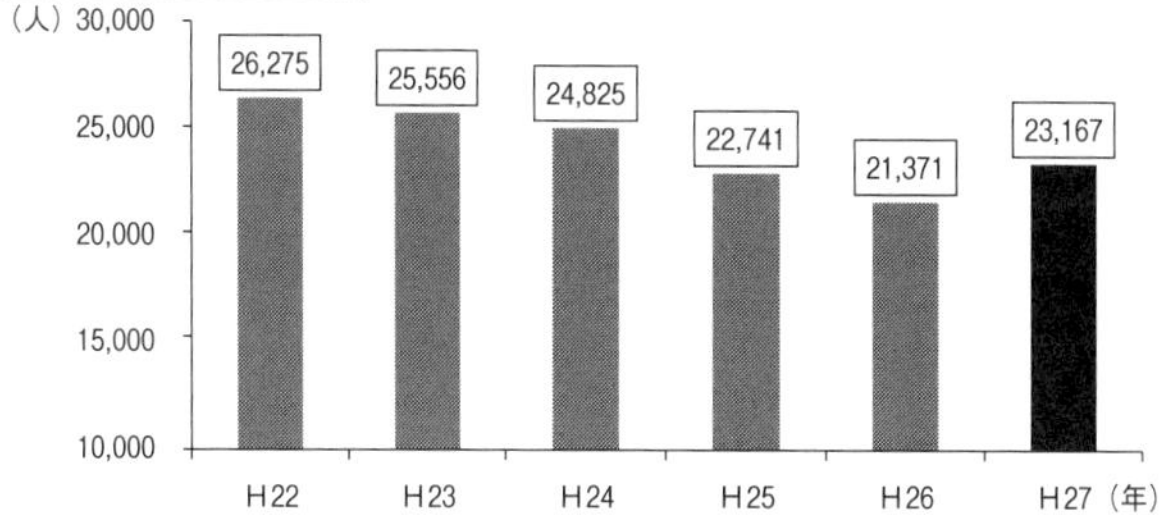

(内閣府こども子育て会議資料より)

れます。

【もっと保育所つくって、待機児童減らせば良いじゃん?】

ここで疑問を持つ人も多いでしょう。認可保育所に申し込む人が多かろうが、それ以上に保育所つくれば良いじゃんか、と。

その通りです。しかし、そんなに機動的に保育所をつくれない、3つの要因があります。

①予算の壁
②自治体の壁
③物件の壁

【予算の壁】

待機児童の多い都市部においては保育士不足です。

これによって、開園に大きくブレーキがかかります。

保育所は一人でも保育士が欠けたら、法令違反で開園できません。よって、「保育士を採用できた数」が開園数上限になります。

保育士不足は保育士の処遇が低いことが要因です。

保育士給与は全国平均で月20・7万円。（出典：http://bit.ly/1HwTytD）

全産業平均と比較して、月額10万円程度低い。

しかし、政府はこの保育士の処遇改善の予算をわずかしか取っていません。

月額1万円を上げるのに340億円、全産業平均値まで上げるのに3400億円を予算として積みませば、保育士処遇は改善し、開園スピードは大きく早まります。

（中略）

【では、どうする？】

怒りましょう。僕たちは怒って良い。予算配分は不当だし、このままだと少子化も進行し社会保障も危機になり、それは将来、可愛い我が子たちの生活を直撃するでしょう。

そして怒りを原動力に、行動しましょう。

まず、政府に対しては、保育士給与引き上げのための、予算増額の世論を高めることです。

ちなみに「保育園落ちた日本死ね!!!」の中で、「国会議員を半分にしろ」という提言(?)がありましたが、残念ながらそんなことをしてもスズメの涙のお金しか出てきません。

(議員1人あたり給与と手当がざっくり4400万/年で、717人いる国会議員を半分の358人にすると、浮く税金は158億円。桁が違います。)

そうではなく、高齢者1000万人に3万円配ること(つまりは3600億円)をポンと決めちゃえるわけなので、出そうと思えば出せるのです。投票率が低いから、我々子育て世代の優先順位が、低いだけです。

声をあげて、世論の波をつくるのです。

メディアにお勤めの方は、工作員となってこの話題をニュースにあげましょう。友だちに国会議員やその関係者がいる人は、臆せず文句を言いましょう。そうじゃない人は、SNSでとにかく拡散させましょう。ベッキーで騒いでる場合じゃないんです。

また、自治体に対しては、とにかく文句を言うべきです。

自治体の職員は、待機児童を解消できなくてもクビにはならないので、騒いでも効かないですが、市民の怒りを買って職を失う人たちはいます。

それが、首長（市長や区長）と地方議員です。

彼らに対し騒ぐのです。声を届けるのです。

数年前の「杉並保育園一揆」では、ママたちがベビーカーで区役所前でデモをして、その絵が面白いこともありメディアが食いつき大炎上。杉並区の認可保育園増設を大きく加速させました。[1]

「保育園落ちた日本死ね」と叫んだ名も無きあなた、見てますか。僕も心はあなたと共にあります。あなたがネットで叫んだように、それをネットでも、リアルでも、あなたと共に何万人がやっていって、無関心な政治をこちらに向かせるしかありません。でないと本当に、**日本は緩慢に死ん**でいくことになってしまうだろうから。


この記事を、当時執筆者であった「Yahooニュース個人」というWEBサービスに投稿したところ、Yahooトップページに掲載された。いわゆるヤフトピ入りだ。そうすると、桁違いにたくさんの人に見られることになる。

フォロワー数が150万人を超えるインフルエンサーの津田大介さんも「ただ怒ったり諦めたりするだけじゃ何も変わらない。駒崎弘樹さんならではの記事だなぁ。データを確認するだけでも有用なので皆様ぜひ」とリコメンド付きで拡散してくれた。

長島昭久衆議院議員もTwitter上で「駒崎弘樹さん、『平成の人材確保法』制定に向け超党派で議連を立ち上げます！　時間がない。子供はあっという間に成長してしまう」とレスしてくれた。

「保育園落ちた日本死ね!!!」を書いた人自身からも翌日Twitterで連絡があった。

「駒崎様、保育園落ちた日本死ね!!!　を書いたものです。あの様な匿名な記事に反応して頂きありがとうございます。きちんと記事読ませて頂きました。取り急ぎお礼申し上げます」

解説ブログをアップした日の夜、TBSテレビのNews23からインタビューがあり、待機児童が発生するメカニズムについての僕の解説が放送された。

1　のちに、2018年から現在2021年度まで杉並区は待機児童数ゼロを発表している。

ここから連日メディアでは待機児童問題が次々と取り上げられ、僕も専門家として解説をしまくることになる。

†安倍総理、下手をこく

2016年2月29日、国会の衆議院予算委員会で、民主党の山尾志桜里議員（当時）が、「この当事者の悲鳴を、やっぱり国民の皆さんに知ってもらいたい」と「保育園落ちた日本死ね!!!」を朗々と読み上げた。

後でご本人から聞いたのだが、**僕の解説ブログを山尾議員事務所の学生インターンが読み、山尾議員にこれを国会質問で取り上げたらどうか、と伝えた**そうである。

それに対し当時の安倍総理は、

「今の、保育所落ちた日本死ね、ということでございますが、そのメールについては私は承知をしておりませんが……。かつまた匿名ということですのでこれ実際どうなのかということは、その匿名である以上、本当かどうかも含めて、私は確かめようがないのでございます」

と、ブログの投稿を「メール」と言う等、よく分かってなさそうな感を出しつつ、答えた。

それに対し山尾議員は言う。

「確かに、言葉、荒っぽいです。でも、本音なんですよ。本質なんですよ。だからこんなに荒っぽい言葉でも、共感する。支持すると複数のメディアが取り上げているんです」

「これは今社会が抱える問題を浮き彫りにしている」

そう切々と訴える山尾議員に対し、「誰が書いたんだ！」とヤジと怒号が響き渡る国会。国民の叫びを、「匿名で本当かどうか分からない」と言う総理と、懸命に訴える山尾議員、そしてそれを押さえつけようというヤジ。テレビの中の安倍総理は、とても冷たく、待機児童問題に理解がないように見えた。

こうした構図がテレビで繰り返し取り上げられ、世論の怒りに火をつけた。つまり安倍総理は国会質疑において「下手をこいて」しまったのだった。しかし、そのお蔭で、待機児童問題はまたたく間に「イシュー」になっていった。

†小さな国会デモが大きな波紋を

知り合いの与党議員から唐突に電話があった。

「ねえ、官邸でも話にあがったんだけどさ、あれって駒崎くんじゃないよね？」

「あれ、とおっしゃりますと……？」

「保育園落ちたの人だよ。あのブログ、書いたの駒崎くんじゃないのかなーって」

「いやいやいや、僕はアンサーソングは書きましたけど、オリジナルは違う人です」

「そっかー、そうだよね。**駒崎くんの自作自演なんじゃないかっていう噂もあってさ。**あははははは」


あははははって……と思いながらTwitterで自分の名前でエゴサーチをしてみると、確かにネット上で駒崎自作自演説がまことしやかに書かれていた。政策起業家的なアプローチをしていると、周囲からフィクサーのように見られたり映ったりすることがあるが、多くの場合それはろうそくに照らされた影のようなもので、実物よりもだいぶ大きく映っているだけだ。

しかしこうした疑念にかられるくらいに、政治側も焦っているのだろう、ということは伝わってきた。そして政治を焦らせる事件が続けて起きる。

2016年3月上旬。

「#保育園落ちたの私だ」とプラカードを持って並ぶ人々。バックには国会議事堂が映っている。

これは安倍総理が「匿名で誰だか分からない」という国会答弁をしたことを受けて、「それは他でもない、私なんだ」という意味を込めたハッシュタグがTwitter上で拡散された。そのハッシュタグをプラカードに書き、国会前で掲げる女性たちがテレビで映し出された。

「保育園に落ちちゃって……。助けてほしいんです……！」

と泣きながら取材に答えるお母さん。

デモの人数自体は40人程度と大きなものではなかったが、母親たちが泣きながら訴える姿はメディアが好む絵面であり、多くの局で取り上げられ、さらに政府を突き上げる格好となった。

後にこの時にデモに参加していた人と、あるイベントで偶然出会った。彼女は僕にこう言った。

「駒崎さんがブログで、『**怒りましょう。僕たちは怒って良い**』って書かれていて、それを見て衝撃を受けたんです。それまで、私は怒ることは悪いことだって思っていたんです。なるべく怒らないようにしなきゃって。でも、怒って良いんだ、ってぱーって開けたんです。怒りが社会を変えることに繋がる可能性があるんだって。だから、素直に怒って、行動しようって思ったんです」

そこまで予測して書いたわけではなかったが、自分のブログを見た人の中で行動を起こした人がいて、その行動がメディアで増幅され、政府の優先順位を変えていく、ということを思うたびに不思議な気分になる。個人の力は、**微力だが無力なわけではない**のだ、と。

†我々は十分やっていたと思っていた

2016年3月10日。平沢勝栄議員がワイドショーで「これ本当に女性が書いた文章なんですかね」と暴言を吐いて再炎上。とにかく待機児童問題に話題を提供し続け、政府は燃え続けた。

この頃になると、各党の勉強会やプロジェクトチームの会合で待機児童問題について盛んに話し合われるようになった。有識者を呼んで、この問題をどう解決するのか、を議論するのだ。そうした勉強会に、僕は引っ張りだこになった。そこで保育園を増やせない理由は保育士不足で、その理由は処遇が低いからであり、処遇を上げないとダメだ、という一連のロジックを政治家のみなさんにインプットしていった。

印象に残ったことがある。自民党のある会合でのこと。

一連の説明をした後に、ある高齢の男性議員が発言した。

「こんなことになったことに、驚いている。**我々は十分やっていた**と思っていた」

僕はその議員の顔を穴が空くくらいじっと見た。彼が冗談を言っているようには見えなかった。本気でそう言っていたのだ。

彼は悪意を持っているのではなく、**単に「見えて」なかった。**

驚いたが、でもそうなのだろう。彼の時代には母親は働いておらず、育児を一手に引き受け、彼自身も自らの子育てに参加することはなかったに違いない。今の彼の周りに乳幼児はおらず、彼の後援会や支持者たちも彼と同年代の人たちで占められている。

つまり、彼の視界には、文字通り働く母親もその子どもも、まるでいないのだ。

そうであったら、十分やっていたように思えるのも不思議ではない。まるで急に脈略なく隕石が落ちてきたような感覚になるだろう。

そしてこれは彼に限ったことではないだろう。国会議員の多くは高齢者の男性だ。彼らの周囲に子どもはいない。だから、悪意があるわけではなく、単に見えていない。そして見えてないと、課題にも気づかない。どこか遠くで起こっていることに感じて、モチベーションが湧くわけがない。

そうやって、子どものテーマ、いや子どものテーマだけではない、多くのテーマが悪意なく優先順位が下げられ、対策が打たれず、手遅れになっていく。

国会議員に**多様性が、いろんな課題の当事者たちが必要なのは、それがまさに社会課題の解決に直結する**からだ。僕はきょとんとする高齢議員の顔を見ながら、それを痛いほど思い知った。

†「もしもし、安倍です」

２０１６年3月20日、沖縄。政界、財界、文化芸術等、様々な業界から著名人が集まるＧ１サミットに僕は招待されていた。

社会学者の古市憲寿さんや脳科学者の茂木健一郎さん、何人かの起業家がテーブルを囲んで談笑していた。そこに安倍昭恵総理夫人の姿も見えた。

「やあ駒ちゃん、最近待機児童で大変そうだね」

茂木さんが気さくに声をかけてくれる。

輪の中に入って、「待機児童問題について必死に訴えているが、なかなかどうなるか分からないんです。早く解決しなきゃいけないけど、政治家たちは何も分かっちゃいない……」と愚痴めいたことをつらつらと話した。

「はい」

突然、安倍昭恵さんが話している最中の僕に、自分のスマホを渡した。彼女とは以前から勉強会などに呼んで頂き、普通に世間話等をさせてもらう関係だった。明るくて不思議な人だった。意味がわからず、怪訝な顔をしている僕を見て、彼女は言った。

「主人。今、床屋さんでシャンプーしてもらっている最中みたい」

スマホを耳につけた。

「もしもし、安倍です」

まじか。

電話の向こうに、安倍総理がいる。**シャンプー台の上でシャンプーされながら、**突然妻から代わった見知らぬ男と電話で繋がっている。

僕はパニックになった。心の準備ゼロだ。沖縄で友だちと気楽に喋っていた次の瞬間に、総理に繋がれるなんて、**冗談みたいな地獄**だ。

「もしもし、えーっとですね……。僕は駒崎と言いまして……」

無言。

誰だお前、という空気が電話ごしにビンビン伝わってくる。

僕は腹を決めた。

「総理、お忙しいところ大変申し訳ありません。待機児童問題についてですが、鍵は保育士の処遇改善にあろうかと思います。なぜなら……」

僕は3分ほどまくし立てた。相手は何も言わない。それでも底が見えない空っぽの井戸の中に向かって叫ぶように、話し続けた。

言い尽くした時、肩で息をしている自分がいた。電話口から、早口で総理の声が聞こえた。

「はい、まさに。まさにですね、安倍政権でそこは本当に力を入れてですね、やっていきたい。そう思っております。その保育士の処遇の部分。そこはよく考えてですね、ちゃんとやっていきたい、と考えているわけです」

昭恵さんにスマホを返した。テーブルの周りでは談笑が続いていて、違う時間が流れているようだった。僕はソファに沈み込んで天を仰いだ。沖縄の青空に魂が吸い込まれるようだった。

†そして保育士の処遇改善へ

その数日後、自民党・公明党の両党は、保育士の給与4%増の緊急提言を発表。僕は4%じゃ足りない、と引き続き政治家とメディアに対し提言を続け、ジリジリと政府内部の検討案が形になっていった。

そして2017年2月8日。僕の所属する保育等に関する有識者会議「内閣府子ども子育て会議」において、保育士の処遇改善案が発表された。

全ての保育士に対し2%(月額約6000円)の給与アップ。副主任クラスの保育士に対し4万円増。経験3年以上の若手の一部に対し約5000円アップ、という内容であった。後に処遇改善Ⅱとして制度化されたものである。

僕が求めていた全産業平均給与並、というところには及ばなかったが、それでも今まで何度言っても変わらなかった状況からしたら、二歩も三歩も進んだ内容だった。

間違いなく**「保育園落ちた日本死ね!!!」**がなければ、**この結果には辿り着かなかっただろう。**専門家や有識者が何年かけて訴えても生み出せない波を、ひとりの匿名の個人の叫びによって生み出せたのだ。

このように大きく政治が動く時、流れが変わる時、というものがある。

これを政治学者のキングダンは**「政策の窓が開く」**と言う。

政策の窓は、何かの事件だったり事故だったりで、急にそのイシューに世の中の注目が集まる時に開く。「保育園落ちた日本死ね!!!」騒動のように。

我々政策起業家にとって重要なのは、**政策の窓が開いているうちに、そのイシューの解決策を、そのイシューを改善させられる答えを、窓に向かって放り込む**ことだ。

窓が開いてから考えるのでは遅い。窓が開く前に、窓が閉まっていてびくともしない、何も変わる気配がしない時に、放り込む答えをちゃんと準備しておいて、窓がわずかに開くその隙間に向けて、ダッシュで投げ入れるのだ。

本当は犠牲が生まれる前に、誰かが困って事件や事故になる前に、そのイシューを解決したい。誰も悲しまないのが一番良い。でも、政治や制度は常に事後的に動く。我々ができるのは、**せめてその機会を無駄にせず、次に困る人を減らす**ことだ。

僕はいつも「窓」を見る。窓が開き、そこに風が吹き込んでカーテンを揺らしていないかどうか。そして手の中に答えはあるだろうか、と握りしめた手を開く。何もなければ、必死に学び考える。答えがあれば、それをもう一度握りしめてポケットに入れておく。いつかこれを全力で振りかぶって、わずかに開いた窓の中に投げ入れて、それが爆発する手榴弾のように変化の閃光を放つことを夢見ながら。

第7章

政策ができて終わりじゃない?「こども宅食」の挑戦

Regardless to any work, it is only in the field is to be able to learn in practice.

Florence Nightingale

どんな仕事をするにせよ、実際に学ぶ事ができるのは現場においてのみである。

フローレンス・ナイチンゲール

これまで我々の事業や提案が政策化される様を描いてきた。読者の多くはそこでめでたしめでたし、と思っただろうか。実は政策起業で厄介なのは、日本昔ばなしと異なりそこでハッピーエンドにならない、ということなのだ。我々の「こども宅食」事業の立ち上げと政策化の軌跡を通じて、それはなぜなのか、どうすれば良いのか、を見ていこう。

†こども食堂で見えなかったもの

「わんがんこども食堂」を東京都中央区で始めたのは、2015年だった。「**子どもの貧困**」という言葉が社会に流通し始めたのが2005年。「こども食堂」という実践が始まったのが2012年。こうした動きを受けて、我々もこども食堂を、自分たちが子育て支援施設を運営している近所で始めたのだった。

定員は20人ほどで毎回満杯になるほど盛況だった。ボランティアの人たちもあっという間に集まったし、みんな料理を作ったりそれを出したり、という作業にやりがいを感じてくれていた。集まってきた親子たちも毎回楽しそうで、僕も参加する度に、楽しく一緒にカレーやハンバーグや子どもが喜びそうなものを食べていた。

しかし楽しく満足度は高い一方で、支援を必要とする親子にはほとんど来てもらえなかった。別に地域の一般的な家庭がそこで楽しくご飯を食べ、繋がり合うだけでも意味があると思うし、それはそれで地域の居場所づくりに資するので良いことだと思うのだが、社会課題の解決を担う我々が実践するのであれば、もう少し支援が必要な人たちと繋がりたいところであった。

しかし民間のNPOがそうした家庭の情報を持っているわけではなく、行政にとっては「民間が勝手にやっているイベント」だったので、困難家庭の情報を共有できるわけでもない。こども食堂で待っていても、なかなか会えない、という状況が続いた。

†ゴミ屋敷にいた子どもの耳に

同時期に、ある区の担当者の方と話した時のことだ。彼女はこんな話をしてくれた。

「この前、あるひとり親のお宅に訪問したんですね。

3歳の男の子と母親の2人で暮らしているのですが、お母さんに心の病気があって、お部屋はゴミ袋が散乱して、足の踏み場もないくらい散らかってしまっていたんです。

3歳のお子さんは、そのお部屋の中でそれでも楽しそうに遊んでいたんですが、何度も耳を触るしぐさをするんです。

おかしいな、と思って耳の中を見てみたら……。

そこにゴキブリがいたんです。

ゴキブリは前には進めるけど、後ろには進めないそうで、耳の中に入ったままになっていたようです……」

この話を聞いて、その時、同じく3歳だった息子の顔と、その見も知らぬ男の子の顔が重なり、僕は不覚にも涙してしまった。

本当に困っている家庭は、周囲からは、見えていない。隣の家がゴミだらけで子どもが遊んでいたとしても、誰も気づかない。だから「申請してくれたら、相談に乗りますよ」という通常の行政の支援も、届かない。

そして困っている家庭は、僕たちのこども食堂にも出てこられない。僕たちも彼女たちがどこにいるのか分からない。そしてずっとゴミの中に、困難の沼の中に、はまり込んで出られないままになっているのだ。

†文京区長に持ちかける

いてもたってもいられなくなった僕は、2016年3月4日、フェイスブックメッセンジャーで知り合いの成澤廣修《ひろのぶ》文京区長にメッセージを送っていた。

「困っている家庭ほど、地域に出ていけない。こども食堂のように子どもたちを待つ仕組みではなく、こちらから出張っていって、食品を届けるような仕組みを一緒につくれませんかね？　費用については、**ふるさと納税を使う**のはどうでしょうか？　僕の友人が広島県の神石高原町へのふるさと納税を使って、殺処分ゼロを目指す『ピース・ワンコ・プロジェクト』というのをやっていて。同様に、文京区にふるさと納税すれば、文京区の困窮世帯の子どもたちを助けるプロジェクトにそのお金がいく、というモデルにすれば費用がまかなえます」

成澤区長は、文京区でも子どもの貧困対策を何かやらねば、と思っていたところだった、と言い、前向きに検討することを約束してくれた。

ただやはり行政なので検討には時間がかかる。区長からこの連携プロジェクトを本格的に進めよう、という話が来たのは翌年２０１７年になってからだった。

そこから社内チームを発足した。事業名はこども食堂と異なり、子どもたちに食品を届けに行くので「**こども宅食**」とした。この、利用者のもとに訪問する支援の形を「**アウトリーチ**」と言って、従来の福祉のように「利用したい人の相談を待つ」スタイルとは異なるものだった。海外ではこのアウトリーチのスタイルが広がっていて、貧困や虐待予防など、様々なシチュエーションで活用されている。

そしてこれまでの事業はフローレンスの中で単独事業として創っていくことがほとんどだったが、今回は事業をパーツに分け、それぞれを他の団体に託す「**コレクティブ・インパクト**[1]」方式を採った。

まず、行政だけが手当を受給している困窮者世帯のリストを持っていて、利用世帯となる人々との接点が既にある利点を活かし、彼らにチラシやリーフレットを配るのが文京区。食品営業は企業とのパイプが太い一般社団法人ＲＣＦ。企業から食品を受け取る事務と食品の仕分けは、こどもの貧困支援で定評のあるＮＰＯ法人キッズドア。集まった食品を届けるのは西濃運輸の子会社である株式会社ココネット。

この仕組みがきちんとワークして、社会に良いインパクトを与えているのか評価・分析する役割として日本ファンドレイジング協会。立ち上げの費用を支える一般社財法人村上財団。事務局として総合推進業務とふるさと納税集め（ファンドレイジング）をフローレンス。これらの異なるバックグラウンドを持った団体と行政が対等な立場でパートナーシップを組んで、「こども宅食コンソーシアム」は出発することになった。

†LINEによる申し込み

「こども宅食コンソーシアム」はテスト配送を行った後、本配送に進んだ。しかしここで問題が生じた。こども宅食の申し込み方法だった。僕たちはメッセージングアプリである

1　コレクティブ・インパクトとは「異なるセクターから集まった重要なプレーヤーたちのグループが、特定の社会課題の解決のため、共通のアジェンダに対して行うコミットメント」のこと。単なる官民パートナーシップや協働とは異なり、①その課題に取り組むために関わりうるあらゆるプレーヤーが参画していること、②成果の測定手法をプレーヤー間で共有していること、③それぞれの活動が互いに補強し合うようになっていること、④プレーヤー同士が恒常的にコミュニケーションしていること、⑤そしてこれらすべてに目を配る専任のスタッフがいる組織があること　などのメソッドを踏まえて行う。日本語訳として「社会変化の共創」とも。

LINEを使った申し込み方法を採りたかった。チラシのQRコードを読み取るとこども宅食LINEアカウントと繋がり、そこから申し込みをする方式だ。手軽に申し込めるし、**LINEによって「繋がり続け」られる。**様々な支援情報を送れたり、そこから利用者は相談もできる。

しかし文京区は難色を示した。「LINEを持っていない区民もいるのではないか」という懸念だ。行政は全ての区民に平等に行政サービスを提供しなくてはいけない。そこからすると紙での申し込みが最も安全だ。しかし、そうすると利便性が犠牲になる。使いづらかったら意味がない。

コンソーシアム内で散々議論した結果、LINEでの申し込み手法にしよう、ということになった。これが行政からの委託事業であれば、発注者の論理に完全に従わなくてはならないが、こども宅食はコンソーシアム方式で、文京区は参加団体のひとつに過ぎなかった。意思決定は民間非営利団体も含めた合議制となる。民間の感覚も活かせる座組であった。

文京区こども宅食の対象者は低所得のひとり親に出される児童扶養手当の受給者か、就学援助受給世帯だった。二つの制度を利用している世帯は1000世帯ほど。他区における同様の困窮子育て世帯向けの支援事業の申し込み率がだいたい15%程度だったので、文京区でもそのくらいだろう、ということで、文京区こども宅食は150世帯の枠からスタートすることになった。

しかし蓋を開けてみると、申し込みは450世帯からあった。他区での事例のおよそ3倍。これはLINEで申し込みしやすくしたことが要因だったと、僕たちは解釈した。結局、一見誰でも利用できる紙の申請用紙よりも、**LINEでの申し込みの方がハードルが低かった**のだ。その時はよく分からなかったが、どうやら紙だと「紙に文字を書く」ということそのものが大きな負担だ、と感じる保護者が多くいるようだった。確かに僕も自分の子どもたちの学校の手続きの用紙を書くのが、何よりも嫌いだ。更に、保護者に発達障害や知的障害があったり、外国籍であったりすると、**日本語の書類を正しく埋めるということのハードルは更に上がってしまう**のだった。結果としてスマホで打つ方が楽、ということになるのだった。

†こども宅食で出会う家族

こども宅食の評判は、利用する家庭からも上々だった。

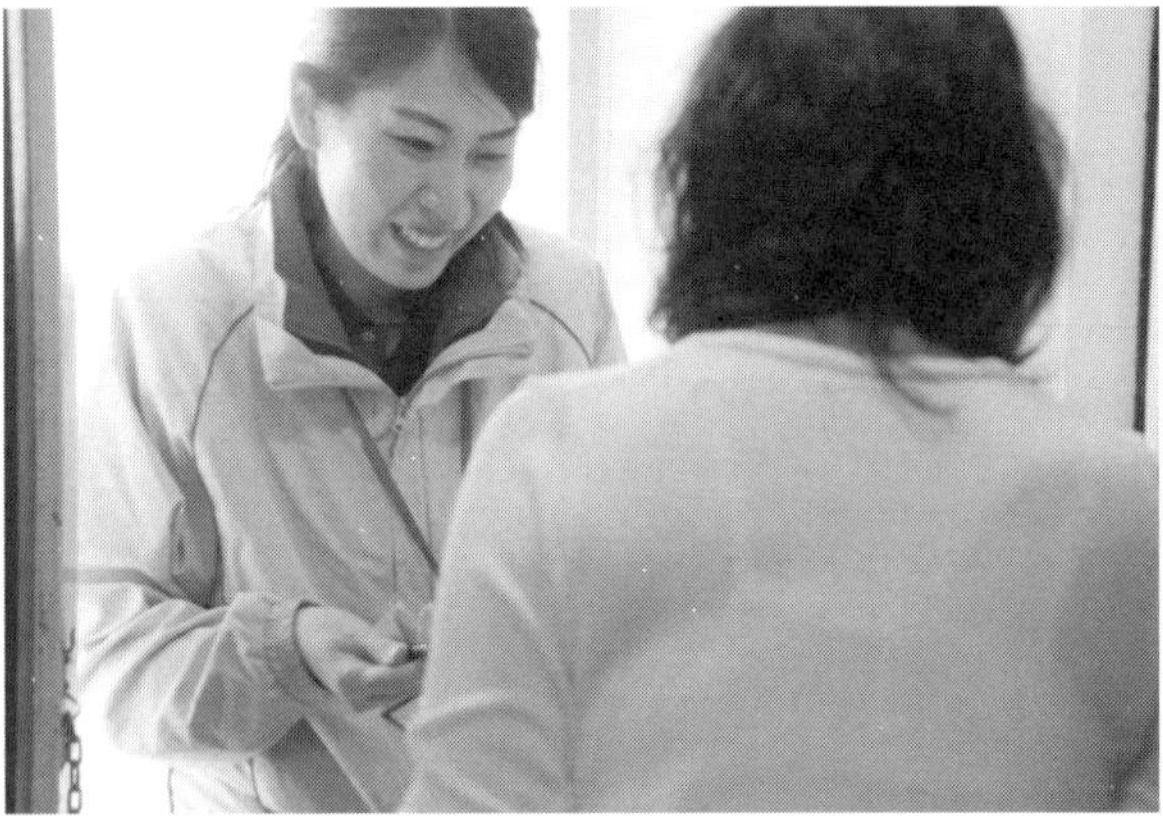

こども宅食配達の様子

ある配送時に、僕も配送員さんに同行させてもらい、一件一件に荷物を届けていった時のことだ。

ピンポンすると子どもがすぐに出てきて、宅食の箱を開けて「わーーーー!!」と大喜びしてくれた。「お菓子もあるー!」と。

ちょっと後ろから見ていたお母さんがボソっと

「これでようやく、この子の友だちが呼べます」と言った。

彼女は、

「今まで家に来てもらっても、何も出すものがなかったので、『友だちを連れて来ないで』って子どもたちに伝えていたんです。でも、これでようやく友だち連れてきていいよ、と言ってあげられるなって」

目から鱗が落ちるようだった。

僕は当初は「お菓子は栄養価的にどうなのかな……」と思っていたのだが、食品支援というのは栄養価だけの問題ではないのだった。

また、配送に関わることで、困窮している世帯がどういう生活をしているのか、を垣間見ることもできた。

ある家庭に行った時のこと。その家庭は食品を渡すだけでなく、ちょっと話を聞かせてくれるということだった。行った先は、少し古いが普通のマンションだった。普通に大丈夫そうだな、と思って中に入った。しかし、室内は真っ暗で、台所にはほとんど何もなかった。お子さんは小学校4年生だった。

「周りがみんな塾に行っていて、この子も行きたいというので、行かせているんですよ」

とお母さんは誇らしそうに言っていた。

「失礼ですが、授業料とかはどうされているんです?」

「はい。**私が朝食と昼食を抜いて捻出しています**」

と彼女は笑って言った。

「文京区は生活費も高いでしょうし、どこか他の街に引っ越す、というのはどうなんでしょうか？」

「この子に発達障害がありまして。すごく良い療育センターとようやく出会えて。だからなかなか動けないんですよね」

そうした話をお母さんがしてくれる間、病気だというお父さんは少し離れたところで、微笑みながらうんうんと頷いていた。

経済的困窮に加えて、子どもの障害、親の病気。こうした困難が重複している中、それでも少しでも子どものために、と懸命に生きている家族の姿が、そこにはあった。

†ひとりでに広がるこども宅食

文京区でこども宅食を立ち上げ、それがメディアで報道されたことで、各地から問い合わせが相次いだ。

「うちでもやってみたい」

「やり方を教えてほしい」

そのうち、本当にやり始めるところが出てきた。

佐賀県では、「こどもおなかいっぱい便」が勝手にひとりでに立ち上がっていた。立ち上げた地元の小学校のPTA役員の大野博之さんは言う。

「小学校で年間100万円くらいの給食費の未納問題があったんです。あまりにも額が大きくて問題になったので、PTAの第三者委員会として給食費を回収する委員会を立ち上げて、未納者への回収を始めたんですね。友だちの親から連絡がきますから、ほとんど回収できました。でも、支払わない家庭があったので直接回収に伺ったんです。そうしたらね、私達も知らなかったんですが、その家庭は親が発達障害を抱える方で、ご自身では支払いができない状態だったんです。そこは何とか解決して。

でもその後、同学年の子どもたちが中学校に進学して、未払いだった家庭が気になって学校にのぞきに行ったんですよ。

そうしたら、その子が体格は大きいのに昼休みに100円だけ握りしめてパン1つだけ買っていた。それが、成長期の男の子のお昼ご飯かと……自分ならお腹が減って耐えられないだろうなと思いまして」

また、宮崎県三股町では、社会福祉協議会に勤める松崎亮さんが、「みまたん宅食どうぞ便」を立ち上げていた。

「社会福祉協議会として、もう何年も前から、待つのではなく、出張っていくアウトリーチ型の支援はスローガンとして掲げてきたんですが、本来のアウトリーチはできていないのが現状でした。そんな中、こども宅食の仕組みに可能性を感じたんですよね。食品を届けるっていう形で、自然と接点ができて、ご家庭のニーズを拾える。そこから色んな支援に繋げていける。これだ、って思ったんです」

こうした反響を踏まえて、僕たちは各地で立ち上がるこども宅食インスパイア事例を応援する仕組みをつくることにした。

「一般社団法人　こども宅食応援団」だ。

ノウハウを無償で提供したり、立ち上げの資金を提供したりすることで、**こども宅食が全国に広がっていくのを後押し**できる。

しかしこれはこれで費用は出ていくだけなので、どこかで資金を調達せねばならない。ちょうど佐賀県がNPOを誘致したがっていることを聞きつけた。NPOが佐賀県に拠点を置けば、佐賀県を通じてNPOにふるさと納税ができる、という仕組みを佐賀県は用意していた。この仕組みを使えば、こども宅食を佐賀県及び全国に広げる活動に、ふるさと納税を活用できる、ということだ。僕たちは佐賀県にこども宅食応援団の拠点を置き、佐賀を中心に全国にノウハウ提供を展開していった。

新型コロナ禍、そして政策化へ

一方で、自前でふるさと納税（寄付）を集めてモデルを増やしつつも、本丸は政策化・制度化であった。**こども宅食を国策として予算化**し、全国の自治体とＮＰＯたちが実践できるようにすれば、新しいセーフティネットとなって日本中の困窮する親子を守れる。

そのためにも、２０１９年10月に「こども宅食サミット」を開き、全国のこども宅食実践者に集ってもらい、そこに文京区長や与野党の国会議員を呼んで議論をしてもらった。そうした場で議論をすることで、政策化の必要性を理解してもらおうと思ったのだった。その他にも、政治家の勉強会に呼ばれる度に、こども宅食モデルを紹介していた。

今はやる気のあるＮＰＯや社会福祉協議会が、自前でお金を集めてこども宅食を立ち上げていっているが、政策になれば、税金（補助金）でこども宅食を立ち上げ、安定的に運営できるようになるだろう。そのための政策化までは、どんなに早くても3年程度はかかるだろう。そう考えていた。

しかし、時代は急速に動く。
2020年2月にダイヤモンド・プリンセス号でコロナ陽性患者が確認された。当初は誰も大ごとになるとは思っていなかったが、その後急速に感染が広がり、4月7日には政府は初めての緊急事態宣言発令を行うことになった。

コロナ禍の始まりだ。

コロナ禍において、こども食堂等、「集まる」タイプの支援は軒並み活動を停止せざるを得なかった。

そんな中、こども宅食は感染リスクが低く、雇い止めや一斉休校で給食がなくなるなど、コロナで一層困窮している家庭にリーチできる。多くの子ども食堂も、来てもらって個別に食品を手渡すパントリーや、宅食型に活動を切り替え始めていった。

こうした状況を背景に、2020年5月27日。第二次補正予算において**「支援対象児童等見守り強化事業」という事業名でこども宅食が政策化**されたのだった。

政策起業を始めて1年、文京区でこども宅食を初めて配送してから数えても2年半というスピードで政策にすることができた。**不幸なコロナ禍という突風が「政策の窓」を開けてしまった**がゆえの激動であり、素直に喜ぶことはできなかったけれど。

続けて政治側にも雪崩のような動きがあった。**「こども宅食議員連盟（こども宅食議連）」の結成**だ。

議員連盟は、そのテーマに賛同・推進したい議員たちが集まり、定期的に会合を行って、その政策の実現、推進を目指していくものだ。

予算化されたこども宅食を、定常的な制度に変えていくこと。またこども宅食を行う上での様々な制度的な課題を取り払っていこう、という趣旨で立ち上げられた。

「こども宅食議連」の設立総会で、会長の稲田朋美議員は言った。

「このコロナ禍において女性と子どもが最も苦しんでいるのではないか。その中で私たちは新たな支援の方法を創り出さなくてはいけない。このこども宅食を全国に広げていけるよう、議論していきたい」

行政だけでなく、政治サイドの大きな後押しも得た。

2020年9月30日には、補正予算ではなく、翌年度の一般予算の概算要求にも「見守り強化支援事業」が含まれることになった。

これでこども宅食が全国に広がり、多くの親子が救われる。そう思ったのだが、そうは問屋が卸さなかったのだった。

†動かない自治体

「こども宅食の導入自治体が、増えません……」

厚労省の家庭福祉課長は、議連の会合で苦しそうに言った。

国で作られた政策は、全国で実施するために、都道府県に落ち、そして市区町村である基礎自治体に落ちて、その後基礎自治体が自分たちで直接実施したり、実施する事業者を公募して実施していく。

ただ、国が都道府県や市区町村に「やらせる」ということはできない。あくまでも都道府県がその政策に手を挙げ、基礎自治体が手を挙げて、初めてその政策が実施できる。

つまり、せっかく国に政策を創ってもらっても、**基礎自治体が手を挙げなかったら、その政策は存在しないのと同じ**なのである。政策起業は、国に政策を創らせるところで終わりなのではなく、それが**実際に基礎自治体に使われ、現場に落ちる**までが仕事なのだ。

「なぜ基礎自治体は手を挙げてくれないんですか?」

こども宅食議連の長島昭久議員は驚いて尋ねた。

厚労省の課長は答えた。

まずコロナ禍において、他の給付金業務等でいっぱいいっぱいになってしまっている。新しい政策について知る余裕がない。知ったとしても、国の要綱を見ながら、事業者を募集する要綱などを基礎自治体独自でつくる余力がない。今は国が全部費用を出してくれるが、そのうち自治体負担も増えることになるだろうから、そうなったら負担できるか分からないなどなど。

せっかく予算化されたこども宅食だが、このままだと使われないまま年度が終わってしまうし、せっかく予算にしたのに使われなければ、財務省から「ニーズがなかったんですよね? じゃあ来年は予算化できませんね」とバサッと切られてしまう。

もちろん現場にニーズがないわけではない。食料がなく「明日食べるものがありません」という連絡が連日フローレンスに届いていた。基礎自治体が国の政策メニューをよく知らなかったり、新しいことをするマンパワーや精神的余裕がなかったりするだけなのだが、それでも使われない事業や予算は切られてしまうのだ。

「自治体に使ってもらわねば」

せっかく政策化したのに、このままではマズい。そこで我々は行動することにした。

†自治体向けオンライン説明会

「自治体担当者の皆さん、こんにちは。こども宅食応援団の本間です。今日は、厚生労働省室長をお迎えして、この度予算化された『見守り強化支援事業』の解説を行っていきたいと思います」

こども宅食応援団の事務局を務めるフローレンスのこども宅食チームメンバー、本間奏《かなづ》はカメラに向かって笑顔を向けた。

忙しい自治体担当者にこども宅食ができる予算事業のことをクイックに知ってもらおう、とオンラインで自治体向け説明会が始まった。

予算の趣旨、どんな風に使えるか、ということを厚労省の担当者の人を呼んで説明してもらう。そこで自治体からの質問も受け付け、実行するのが難しい事業じゃないんだよ、ということを分かってもらう。

また、いちから要綱を作るのは手間なので、もう要綱を作った自治体のものをサンプル要綱としてこども宅食応援団サイトに置いておき、テンプレートとして使えるようにもした。よくある質問はQ＆Aの形式で、これもこども宅食応援団の自治体向けページの中にまとめておいた。

努力は自治体に知ってもらい、使ってもらうだけではない。自治体や現場の実施団体が使いやすいように、厚労省に事業要綱をブラッシュアップしてもらうことも行った。この予算に手を挙げた自治体と実施団体にヒアリングを行って、どの部分が使い勝手が悪いか、どうすればもっと活動がしやすいか等を把握する。

それをペーパーにまとめて、厚労省に「こういうQ＆Aを出して、こういう例外を認めてほしい。次の要綱改正のタイミングで、こういう事例も包摂できるようにしてほしい」などなどだ。それによって、**政策自体も使い勝手が良くなっていく**。政策を商品だとすると、商品の販促だけでなく、顧客ヒアリングを行って、商品開発もサポートするような動きだ。

こうした地道すぎるほど地道な努力を積み重ね、少しずつ導入自治体が増えていったのだった。

ある自治体で見守り強化支援事業を活用して行われたこども宅食の事例を最後に紹介して、この章は筆を置きたい。

†うべおたすけまんぷく便

山口県宇部市。そこには熱血女性小児科医がいた。金子淳子医師。彼女は小児科医として普段から、家庭に様々な課題があって子どもが十分に養育を受けられていない家庭、ネグレクトや虐待等、様々なケースを見てきていた。

行動力のある彼女は、そんな家庭の子どもたちのために子ども食堂を始めたが、しばらくして子ども食堂に来ることのできない親子がたくさんいることに気づいた。

「待つだけの支援じゃダメだ……」

そんな思いから、こども宅食応援団に相談の連絡をしてくれた。

国で予算化された「見守り強化支援事業」のことを伝えると、いち早く立ち上げを決心。診察の終わった夜のクリニックで、東京のこども宅食応援団スタッフとオンライン会議を重ね、せっせと事業計画を作って市に提案を行ったのだった。

そして無事、見守り強化支援事業の予算がついた。うべおたすけまんぷく便と名付けられた金子医師のこども宅食は2020年10月から開始された。

ある家庭があった。親が精神疾患を患っており、子どもは不登校。こども食堂に連れ出すのは難しい家庭だった。

まんぷく便の配送スタッフさんは、

「ヤギを見にいかんー?」

と宅食の際に、家に引きこもりきりの子どもに聞いた。

金子医師の友人に農園主がいて、農園でヤギを飼っていて、普段から子どもたちの体験活動の場にしていたことを知っていたからだ。

引きこもっていたその子どもは、少し考え、そして「行く」と言った。

そこからヤギとの交流が始まった。次第に彼はヤギやボランティアさんと仲良くなり、今度は学習支援に誘ったら来てくれて、次第に勉強に関心が向くようになった。そしてついに学校に通い始めるようになったという。

金子淳子医師は僕に言った。

「小児科医の私は、子どもの体の調子が悪い状況を治して、健康になってもらいます。でも、子どもの健康って、体の調子だけじゃない。**子どもの周りの環境が厳しいと、子どもは健康って言えない**。こども宅食は、子どもの周りの環境を改善するために、お薬のような役割を担えると感じています。直接、ダイレクトに関わっていけるっていうのが、すごいですよね」

金子淳子医師が山口県宇部市で起こした小さな変化。これは「見守り強化支援事業」という国の補助事業が現場に「届いた」ことを意味する。国のメニュー表に載ったままだったら、変化は生み出されない。それが県に行き、市に行き、金子先生のような人の手に渡り、そして親子のもとに行って初めて、**政策は人々に届いた**、と言えるのだ。

第8章

1人の母が社会を変えた　多胎児家庭を救え

You, the people, have the power! The power to create machines. The power to create happiness. You the people have the power to make this life free and beautiful, to make this life a wonderful adventure. Then in the name of democracy, let us use that power. Let us all unite! Let us fight for a new world.

Charlie Chaplin（"The Great Director"）

君たち、人々は力を持っているんだ。機械を作り上げる力、幸福を作る力を持っているんだ。君たち、人々が持つ力が、人生を自由に、美しくし、人生を素晴らしい冒険にするのだ。民主国家の名のもとに、その力を使おうではないか。皆でひとつになろう。新しい世界のために闘おう。

チャーリー・チャップリン　映画『独裁者』より

これまで僕の政策起業家としての闘いの記録を皆さんには紹介してきた。しかしこう思われただろうか？

「駒崎さんだからできたんでしょ？」と。

そうではない、ということを、この章ではお話ししたい。

この章に登場するのは、我がフローレンスの社員だ。

元々は美容師をしていて、政治や政策なんて全く興味がなかった。

どこにでも普通にいる、一人の母親、市倉加寿代の物語。

†始まりは1通のLINEのメッセージから

市倉には幼なじみの友人がいた。仮に栄子と呼ぼう。2019年3月のある日、栄子からLINEが来た。また子どもの可愛さ自慢の画像だろうか。

しかし予想に反して、

「育児が楽しいと思えない」

「**自分がクローゼットにこもって時間がすぎるのを待つことがある**」

とのLINE。そういえば、彼女とはしばらく会えていない。第一子の時はあんなに楽しそうに育児をしていて、季節ごとのイベントを楽しんだり、みんなで外出を楽しんでいたはず。何があったのだろう？

ちょっと気にかかって、市倉は栄子の保育園のお迎えを手伝ってみることにした。顔を見るついでに、というくらいの軽い気持ちだった。

†保育園での衝撃

保育園前で待ち合わせをして、栄子の3人の子どもたちが待っている園内へ。

栄子は、1歳半の双子と3歳の子を育てる多胎児の母だ。

2階で双子を引き取り抱っこすると、もう彼女と市倉の両手はふさがった。

「これであともうひとりの3歳の姉をどうしろと？　どうやってベビーカーをセッティングするの？」

が、保育園の先生は特に手伝う素振りは見せない。

「え、なんで？　明らかに手が足りてないよね？」

栄子はこの対応にも慣れた様子で、双子と姉を床に置く。しかし当然動き回る。玄関スペースで双子ベビーカーをセッティングした。まぁ乗りさえすれば……と見ていたが、双子のうち片方が乗らない。どうしても乗らない。待てなくなった姉3歳が園を飛び出そうとするのを市倉が必死で止める。

なんとかベビーカーに乗せるも、今度は園の下りの階段が彼女の行く手を阻む。子どもを乗せたまま、栄子と市倉でベビーカーを持ってうんしょうんしょと下りる。

ギャン泣きの双子と、交通ルールを守れない3歳。彼女はいつも、1人でどうやって家まで帰っているのだろう……。その日は結局、上の子も下の双子もベビーカーには乗ってくれず、下の双子と市倉が手をつなぎ、常に気を張って上の子が道路に飛び出さないように歩かせ、彼女は3人分の保育園バッグが乗った荷車と化したベビーカーを押して帰った。

「保育園のお迎えが終了すると、『**ああ、今日も無事に家に帰れた**』って思う」

と言う栄子の言葉が衝撃的だった。

†外からは気づけなかった、多胎児家庭の孤独

それから数カ月、週1くらいの頻度で栄子の保育園の帰り道を市倉は手助けするようになった。栄子は少しずつ、現在の生活の大変さをポツポツ語るようになる。

最も驚いたのが、栄子とLINEでやり取りした時の言葉だった。

「前、都営バスに乗ろうとした時に、**双子ベビーカーはお断りしていますっ**て言われたよ」

市倉は思わず「いまスマホの前で目ひんむいたよ」と答えた。

双子ベビーカーは折りたたまないと都バスに乗れない？　なんじゃそりゃ。おかしい、絶対にそんなのおかしい。

市倉はつらそうな栄子の様子を見て、知りうる限りの行政サービスや民間シッターの利用を勧めた。

しかし、

「この子たちを連れて、申請に行くこと自体が大変で……」

「『双子はちょっと……』と断られる」

という返事が返ってきた。

実際に、子どもを預けたい人と預かりたい人を行政が橋渡しする「ファミリーサポートセンター」の登録会に栄子が行けずに、すでに2年が経とうとしていた。「なにか困りごとがあれば電話してください」というスタンスの区の子育て所管課だったが、実際には何の選択肢も用意されていない現実を、市倉は知った。

†勇気をだして地元の政治家に連絡してみる

「双子という事を理由に排除されて、行政の支援からこぼれ落ちている友人の環境をどうにかしたい」と真剣に市倉は思った。

そこで勤め先のフローレンスが政治家と一緒に制度を変えていく姿を見て、見よう見まねで**地元の区議に連絡**をしてみることにした。けれど彼女の頭にまず浮かんだのは「でも区議って、誰に?」、「連絡先とかどこで知ればいいの?」であった。

何も分からないけれど、とりあえず栄子の住む区の区議会のウェブサイトの議員一覧の中から、子育て政策への取り組みを熱心に謳っている女性区議に連絡を取ることにした。

「議員へのメールって、どんなことを書けばいいのか分からないな。けど、やってみるしかない」

そう思いながらホームページにあった連絡先にメールをすると、1時間ほどで返信が来た。そこには、「一度会って話がしたい」とあった。

「返信とか、返ってくるんだ。しかも本人から。びっくり……‼」

震える手で、そのまま返信し、市倉は女性区議と会うことになった。会うって言ってもどこで会おう。料亭とかなのかな。ひたすら不安だった。

当日、市倉は栄子と区議と、料亭ではなく普通の喫茶店で会って話をした。彼女の今置かれている状況を受け止め、区で出来ること、都でなければできないことを教えてくれた。

「都バスの件は、東京都の管轄だから、都議に繋げますよ」

と言ってくれたが、栄子と市倉は「トギって、あの都議？　そんな、普通に会えるもんなの？」と半信半疑。

が、数日後に、また近くのカフェで都議との面会が実現し、

「こんなことが起きているなんて知らなかった。教えてくれてありがとうございます、早速かけあうことにします。うちの党の人間たちにも知ってもらう場をセットしたいです」

と言ってもらえたのだった。

†ネットアンケートでニーズを可視化

都議と彼が所属する党の人たちの前で話すことになったところで、

「栄子と同じ現実に悩む親が他にもいるのかもしれない。であれば、その声をまとめて持っていった方が説得力が出るのではないか」

と思った。でもどうしよう、栄子の他に、双子の親の知り合いはいない……。そこで思いついたのが、「ネットでアンケートをとってみる」ということだった。

誰もがおなじみのTwitterアカウントを市倉も持っていた。普段は推しのSMAPのことや家事の愚痴等をつぶやく程度だったが、多胎児家庭が直面する実態について自分以外の人に投げかけてみるツールとして使えそうなのはこれだけだった。とはいえ、フォロワーは30人程度の過疎アカウント。意味あるのかな、とすぐに不安になった。

アンケートには、これまた誰もがおなじみのグーグルフォームを使用。アンケートを初めて作るので四苦八苦したが、とりあえず「多胎児育児をして辛いことはなんですか？」、「気持ちがふさぎ込んだりすることはありますか」といった質問項目を設けた。

10件でも、リアルな声が集まれば。

が、蓋を開けてみれば、なんと一**晩で全国から約200件の回答**があった。一つ一つに、多胎児家庭の抱える孤独・辛さが込められていた。それを見て市倉の胸は痛んだ。

「これは本当に、このまま終わらせることはできない」

そしてこの時になってようやく、これまで職場に特に言わずにプライベートな活動としてやっていたのだが、思いきって上司に伝えてみることにした。

打ち明けた相手は……僕であった。

「駒さん、あの、私こういうアンケートを取りまして……。思いの外集まっちゃってですね……」

おずおずと切り出す市倉から、これまでの経緯を聞いた僕は言った。

「こりゃあすごい反響だね。それだけ望まれてるってこった。ただ、このまま個人でこれをやるのは多分しんどい。集計にせよ分析にせよ、人手がかかる。チームでやろう。広報チームと連携して、体制を作って世の中に訴えていこう」

そしてこの日から、市倉を中心としたチームで多胎児家庭の課題の解決に奔走することになる。「#助けて多胎児育児」と名付けられた**ソーシャルアクション**が始まった。

†記者会見で話題沸騰

ネットアンケートは結果として1591件の回答があった。国内の多胎児育児に関する

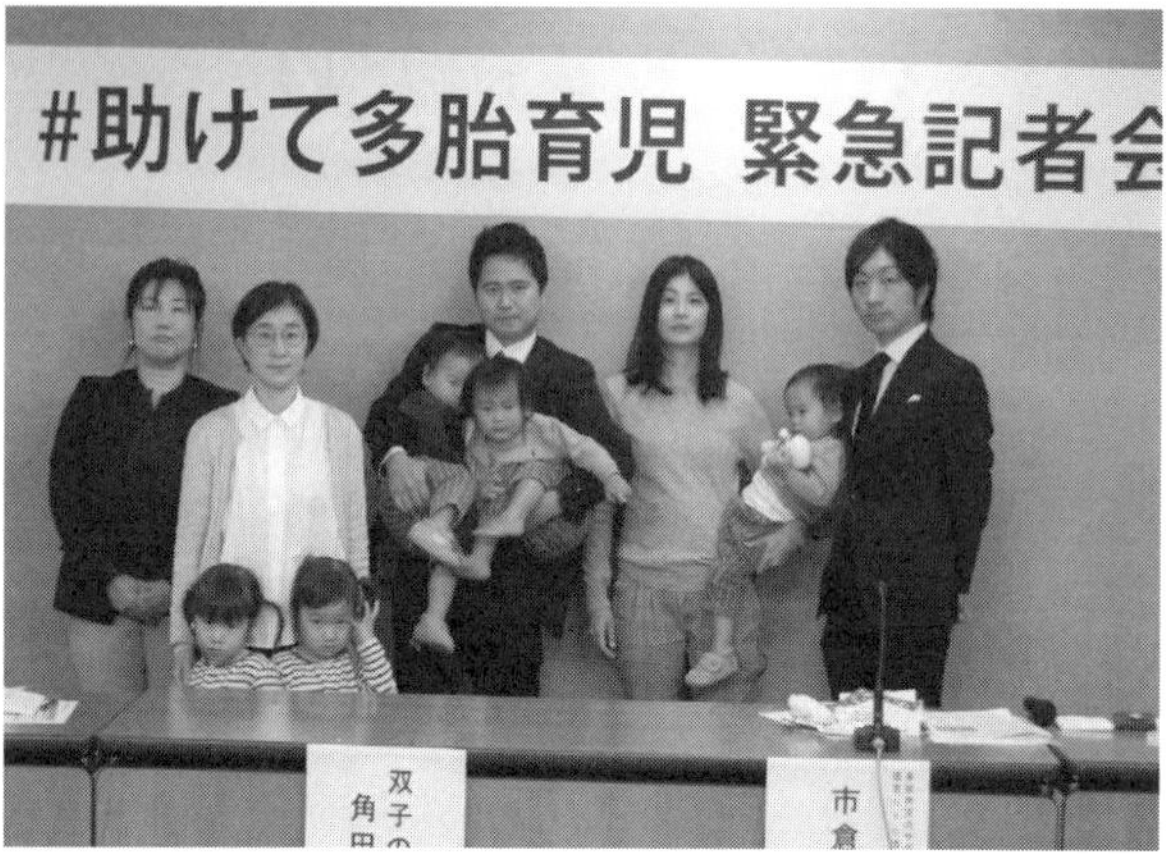

記者会見には多胎児と親御さんが出席し当事者の言葉で語ってもらった

アンケートでは、最大規模ではなかっただろうか。

中身を見ると、本当に「悲壮」としか言いようのないものだった。「**気が狂うし死にたくなる。虐待する気持ちがわかってしまう**」、「とにかく人手が足りない。**助けてほしい**」……今まで無視されてきた多胎児育児の過酷さを訴える、まさに心の叫びだ。この状況を世の中に知ってもらわないといけない。そして政治が動いて、多胎児家庭への支援が政策化されなくてはならない。

そう我々は考え、ネットアンケートの結果発表の**記者会見**[1]を行うことにした。アンケートの結果を発表するとともに、実際に双子や三つ子を抱える母親に登壇してもらい、リアルを語ってもらう。そしてあるべき政策の提言に繋げていくのだ。

記者会見当日。厚生労働省記者室は満杯に埋まった。

東京で双子を育てる角田さんは、涙ぐみながら語った。

「思い返しても、1歳になるまでの記憶はありません。なんとか今日を乗り越えて、明日につなぐことだけに懸命でした。（中略）

悪いのは、**無理のできないあなたではなく、無理を強いる社会の仕組み**です」

出席メディアは数十社にのぼり、NHK「ニュースウォッチ9」で特集が組まれ、その後、ひっきりなしに取材が来ることになる。

記者会見なんてもちろんやったことのない人生で、市倉は初めてのことに戸惑いながらもフローレンス広報チームの協力を得て取材対応をこなしていった。

1　記者会見は、社会課題を世の中に発信する主要な手段の一つだ。子どもや福祉のテーマだと厚労省記者室、教育だと文科省記者室と、テーマによって場所を選択していく。

この辺りから市倉はアンケート結果を持って、国会議員や都議会議員に対して怒濤の営業をかける。特に熱心に耳を傾けてくれたのは、松葉たみこ都議、栗林のり子都議等の公明党都議たちだった。

さらに東京都交通局、都市整備局、福祉保健局を次々と回った。福祉保健局は福祉や子育て支援を担当する局なので、

「それは大変ですよね。多胎児家庭向けベビーシッターサービスも前向きに検討したいと思っています」と語ってくれた。

しかし、双子ベビーカーは折りたたんでしか公共バスに乗れないという問題については、「残念ながら、私たちの立場では決められませんね。東京都もバス事業を営む一事業者なので、ルールの変更などはバス事業者が集まる東京都バス協会じゃないとできないんです」と都バス担当の交通局からは塩対応を受けたのだった。

それなら、ということで、東村くにひろ公明党都議らと市倉で、東京都バス協会を訪ねた。そこで言われたのは、

「うちはルールを取り決めている立場じゃないので、国土交通省に行ってもらえますかね……」

典型的な**たらい回し**だった。

公明党都議たちは内心怒りながらも、「本丸は国土交通省だとわかった。国土交通省に話をつけよう！」と市倉に言った。

†ついに小池都知事と会う

「市倉さん、1週間後、都知事が面会してくれるって!!」

公明党の都議から電話があった時に、市倉は心臓が止まりそうになった。

「まままじかーーー!!! め、面会ってどゆこと？」

都知事が面会するということは、そこで要望ができ、**何らかの答えを引き出せるチャンス**になる、ということだ。都知事がそこで発言したことは、実行力を持つ。2020年1月31日、市倉は多胎児の保護者の方を連れ、だだっぴろく天井がやたらと高い都庁の知事面会室に足を踏み入れた。

市倉はまず東京都が多胎児向けのベビーシッター補助等、我々の要望に応えて多胎児向

小池都知事に要望書を手渡す様子

け支援施策を充実させつつあることにお礼を言った。

その上で積み残しの課題として、栄子が市倉に悲しそうにこぼしていた「双子ベビーカーはたたまないと都営バスに乗れない問題」を伝えた。

ふと、小池都知事は双子ベビーカーの側に歩いていった。双子は僕も含めて他の2人が抱っこをし、お母さんがベビーカーを閉じるところを見せようとしたところ、ベビーカーに引っ掛けた荷物が重く、ベビーカーが後ろに倒れかけた。

その様を見て、小池都知事は、**「あぁ、これは無理ね……」**と呟いた。

そして小池都知事は、席に着いた後に、

「折りたたまなくても都バスに乗れるよう、各所と調整して進めていく」

と明言をしたのだった。

山が動いた、と会見場に居合わせた僕の背中に電流が走った。

これまで東京都交通局から「ベビーカーをたたまず乗れるよう協議している」というコメントは引き出せてはいた。しかし、ここに来てようやく都知事の言質が取れたのだ。

†国土交通省のお墨付き

小池知事の踏み込んだ発言を受けて、途中まで塩対応だった交通局は前向きになり、国土交通省の「双子ベビーカーを折りたたまないで乗れるかの実証実験」に敷地や車両の提供を行うまでになった。

その実証実験の結果を踏まえて、国土交通省は2020年3月「一定条件のもとなら、双子ベビーカーを折りたたまないでバス乗車ОＫとする」という正式な見解を打ち出したのだった。

全国の交通ルールを司る国土交通省が「たたまんでいいから」と見解を示したわけなので、もう全国のバス会社が「たたまないと乗れないよ」という根拠は消失したわけだ。

このまま一気に都バスで双子ベビーカーで乗れるようになるのか、と思いきや、コロナ禍で暗雲が立ち込め、解禁に向けての進捗は一時的にストップしたかに見えた。

しかし市倉はめげずに、月1回交通局に電話をかけ「進捗いかがでしょうか」と**進捗確認及びお尻を叩く**ことを怠らなかった。

そして国土交通省の見解発表から半年。ついに事態は大きく動いたのだった。

†都バス5路線で双子ベビーカー解禁

2020年9月4日14時からの小池都知事の定例記者会見。そこで、

「**双子ベビーカーを折りたたまずに都営バスに乗せられます。**9月14日からスタート」

という趣旨の発表がなされた。

市倉の悲願、いや多胎児家庭の悲願が実現した瞬間だった。

涙が市倉の頬を伝っていた。

「ほんとよかったね……」と声掛けすると市倉は目をこすりながら言った。

「いや、最初は試行的に5路線だけみたいなので、これが全線に広がらないとダメです。

多胎児家庭は東京都全体にいるので」

最初は区議にメールを送るのもドキドキしていた市倉だったが、もはや冷静に情勢分析のできる政策起業家になっていることに、僕は驚きを覚えた。

「私、解禁日に当事者のお母さんとリアルにバス乗ってきますね。連絡してきます」

そう言って足早に駆けていった。

†PR動画作制、そして全線で解禁へ

解禁日初日に市倉は当事者と一緒に都バスに乗ってみた。後ろのドアから入り、進行方向と逆向きに双子ベビーカーをセットし、緑の固定ベルトで2カ所留めた。そして車輪をロック。降りる時もとてもスムーズだった。

双子ママのKさんは、「**当たり前な事のようですが、『バスに乗って病院に行ける』は双子ママにとってはすごく難しいことだったので感動でした**」と言ってくれた。

その声を聞いて嬉しかった市倉ではあったが、同時に、「乗った先で白い目で見られるようなことがあったら、ルールは変わっても結局乗りにくいことは変わらないのではない

か」と気づいた。当事者だけでなく、周りの認識も変えないといけない。

そこで、車内で流れるCMの作制を東京都に依頼。絵コンテまで持っていって、担当者を説得した。

そして翌2021年6月7日より、ついに都バス全線で双子ベビーカーの乗車が解禁されたのだった。全線解禁に合わせ、車内広告や都バスサイトで市倉が提案したCM動画が流れ、パンフレットも車内に常設された。

このニュースを聞いた多胎児家庭当事者の言葉を、ここで紹介したい。

「本当に大きな一歩。**涙が出た**」（1歳双子の母）

「私も0才児双子を抱えていた当時、遠い保育園に送迎せねばならず、バス会社に『双子ベビーカー？　無理ですね』と**冷たくあしらわれた**経験があります。本当に嬉しいです」（5歳双子の母）

「2人乗りベビーカーでバスに乗れるようになったら、**世界が広がるだろうなぁ**」（2歳双子の母）

†ルールなんて、変えられる

どうだっただろうか。情にもろい、向こう見ずだけど行動力のある「普通の人」が、これまでずっと乗れなくて当たり前だった双子ベビーカーを都バスに乗せられるようにルールを変えていった2年3カ月の軌跡は。

途中、アンケートの集計や記者会見でフローレンスの組織リソースを使ったものの、この一連の動きの中心にいたのは、常に熱意を持った市倉という個人だった。彼女の情熱と行動力がなければ、到底実現し得なかった。

政策起業家には、誰でもなれる、「この人たちの不条理を何とかしたい」という強い思いがあれば。僕にそれを教えてくれたのが、他ならぬ自分の部下である市倉であったのだ。

これが希望でなくて、何だろうか。

政治家にならなくても、官僚にならなくても、ルールは変えられる。
4年に1回の投票日でなくても、制度は変えられる。

それをこのエピソードは我々に示唆してくれているのだ。

エピローグ

You must be the change you wish to see in the world.

あなたがこの世界で見たいと願う変化に、あなた自身がなりなさい。

Mahatma Gandhi

マハトマ・ガンジー

社会課題に取り組む人々の間で知られている「**溺れる赤ん坊のメタファー**」という寓話がある。それはこんな話だ。

あなたは旅人だ。旅の途中、川に通りかかると、赤ん坊が溺れているのを発見する。あなたは急いで川に飛び込み、必死の思いで赤ん坊を助け出し、岸に戻る。安心してうしろを振り返ると、なんと、赤ん坊がもう一人、川で溺れている。急いでその赤ん坊も助け出すと、さらに川の向こうで赤ん坊が溺れている。

そのうちあなたは、目の前で溺れている赤ん坊を助けることに忙しくなり、実は川の上流で、一人の男が赤ん坊を次々と川に投げ込んでいることには、まったく気づかないのだ。

これは「問題」と「構造」の関係を示した寓話だ。問題には常に、それを生み出す構造がある。目の前で溺れる赤ちゃんという「問題」に対処しながらも、投げ込む男がいて悲劇を生産し続けるという構造に対し、投げ込む男を止めることで構造を変えなくてはいけない。

この、**「構造」に対してアプローチができるのが、政策起業**だ。

預かってもらえる場所がなく困っている医療的ケア児を預かれる場所を、実際に創る。これは溺れる赤ちゃんを助ける行為だ。一方で、そもそも医療的ケア児とその家族が困らないように、みんなで支援していこうね、というルールを創ってしまう。これは投げ込む男を止める、構造を変える行為であり、政策起業だ。

双子ベビーカーがあるのでバスに乗れない双子の母親のために、一緒に双子ベビーカーを押したり、車でお迎えに行ってあげるのは、溺れる赤ちゃんを助ける行為だ。一方で、そもそも双子ベビーカーがバスに乗れない構造そのものを変えるのが、投げ込む男を止める行為であり、政策起業だ。

これまでの僕のやや恥ずかしい悪戦苦闘を見て下さった方には伝わると思う。政策起業は、ビジネスの起業に似ている。「これを変えたい」という思いが最初にある。そのために、泥臭く動き回って、仲間を集めて、「こうすればいい」というアイデアを作って、それを売り込んでいく。失敗するリスクもいっぱいある。でもリスクを取って、情熱を賭けて動く。そしてたくさんの人にアイデアが支持されると、それが何かのきっかけで政治の中心の窓に投げ込まれ、法律や新しいルールとなっていく。

ビジネスの起業と違うことは、3つある。一つは成功しても大金持ちにはならないこと。直接の個人的恩恵は金銭的ではない場合がほとんどだから。けれどそんなことは大したことではない。多くの人々が助かる。今生きている人々だけではない。未来の、まだ生まれていない次世代の人々にも恩恵がある。

もう一つは、元手となる資金がたいして必要ないこと。地元の議員にメールするのはほとんどお金がかからない。会いに行くのも交通費程度だ。

3つ目は、**「だから誰でもできる」**ということだ。湧き上がる、強い情熱さえあなたにあれば。

†選挙だけでは「足りない」

我が国を襲う課題はここでは描き切れないくらい多い。少子高齢化による労働人口の激減による税収の低下。にもかかわらず社会保障費は増大。1950年には現役世代12・1人で65歳以上の高齢者を支えていたが、2040年には現役世代1・5人で1人の高齢者を支えることに。

財政は社会保障費で圧迫され、経済発展を生み出すイノベーションの苗床となる公教育や研究開発に予算が割けず、長期的な経済的衰退が水路づけられている。

地方も衰退する。2033年の空き家率は推定30・4%[1]で、全国の住宅の3戸に1戸は空き家になる。地方自治体も約半数が消滅の恐れ[2]がある。

グローバルな気候危機が拍車をかける。近年大雨豪雨災害が頻発・激甚化しているが、温暖化に伴ってその発生確率は1・5倍から3・3倍[3]に高まるという。

若者が減って高齢者が増えて経済と財政が立ちゆかなくなって、どんどん貧しくなって

1　野村総合研究所の試算（2016年）
2　2014年有識者からなる日本創生会議は、地方自治体のほぼ半数にあたる896自治体が2040年までに消滅のおそれがあるとする「消滅可能性都市」となると推定。具体的な自治体名を列挙して公表し、注目を集めた。
3　2020年10月20日　気象庁気象研究所

いく上に地球規模で気候危機になって災害がひどくなって更に貧しく苦しくなっていくという未来。

こうした未来を、子どもたちの世代にあなたは残したいだろうか。

今のままだと、子どもたちは私たちが生きた時代よりも、確実に貧しく、学ぶ機会が乏しく、未来への希望を持ちづらい時代を生きざるを得ないだろう。

私たちは、子どもたちにそんな日本を手渡していいのだろうか。

そう、もはや「偉い人たち」に政治と政策を任せ、自分は日々の持ち場で真面目に頑張ろう、ということでは足りないのだ。我々もまた、政治や政策を担う主体として参画し、当事者として日本を少しでもよりマシな国にするために知恵を出し、手を動かさないといけないのだ。

参画と言った。今でもちゃんと選挙に行ってるじゃないか。それ以外に何を?

いいや、残念なことに単に4年に1回の選挙で投票に参加するだけでは、「**足りない**」のだ。**投票以外の回路で、民主主義に参加**しなければならない。

その方法が、政策起業だ。

誰もが政策起業家になったとしたら、我々はいつでも、どこでも、政策づくりに、制度づくりに、ルールメイキングに参加できるようになる。それはみんなが社会づくりに関われるようになることに等しい。**日本の民主主義そのものをアップデート**し、新たな社会が生み出されることとなる。

その新たな社会では、現場で課題を感じた人が、すぐに「これ直そうよ」と声をあげ、直接政治と政策の回路にアクセスし、仕組みを変えていける。政策や制度のPDCAを高速に回せることができるようになる。4年に1度の選挙を待たなくてもいいのだ。

減りゆく人口の中でも、「より良いやり方」「より時代に合ったやり方」を民間から提起することができる。人口が減って空き家が増える。だったら空き家を使った保育園を設立可能なように制度を変えてしまえばいい、などなど。

こうした発想があらゆる領域で広がり、実践できれば、我々は少子高齢社会そのものを逆転させること自体はできないにせよ、そこに最適化し、そこを過ごしやすく生きやすい社会に変えていくことはできるのではないか。

そして選挙を待たなくても政治の意思決定に参加できるのだとしたら、より速いスパンで政策を変えていくことも可能になる。テクノロジーの進化の速度は速く、すぐに制度や規制も古くなる。そうした陳腐化した規制が、イノベーションの芽を摘む。しかしビジネスセクターの人々が、起業家であるだけでなく政策起業家にもなれば、古い規制を突破し新たなイノベーションを生み出していきやすくなる。それは少子化の中においても、日本の経済の活性化にも大きく寄与する。

更にはテクノロジーや社会の進展の中、マイノリティの人々（それは医療的ケア児だったりＬＧＢＴＱだったり、他の誰かだったりする）も声をあげやすくなる。従来なら選挙の票にならなかった彼らが政策的に手当てされることは長い年月を待たなければならなかったし、待っても何もできなかったかもしれなかった。けれど誰しもが政策起業と新たな民主主義の回路にアクセスできれば、差別と不条理に苦しむ時間を短縮できる。幸せに溢れる社会とまではいかないけれど、**不幸を最小化**することには繋げられる。

政策起業は、つまるところ「これまでは陳腐化したルールに従っていたけれど本当はもっと良い方法に気づいている人々」の参画を可能にするものだ。**現場から小さな制度・政策イノベーションを起こし、**それを広げ、我々の社会を質的に変えていく。そう考えると、統計を見ると絶望しかない我が国の未来だけど、実は希望はある。**希望は創れる**んだ。そう思うと、ワクワクが僕の胸をいっぱいにする。

限られた人々に丸投げする民主主義と、誰もが政策起業を通じて民主主義に関われる社会の2つの道があった時に、あなたはどちらを選びたいだろうか。我々の日本が向かうべき方向性として、どちらにより希望があるだろうか。喜びがあるだろうか。

†力を貸してほしい

誰もが選挙以外でも参画できる、**新たな民主主義にアップデートされた日本社会**を、僕は見たい。誰かに丸投げして日本が衰退したら、その人たちを責めてしまう。自分が全力で関わってダメになったら、諦めもつく。僕は小さな希望に賭けてみたい。新たな民主主義を実装した日本が、世界に先駆けた超少子高齢社会にしなやかに、したたかに対抗していく様を見てみたい。戦後の焼け野原から、しなやかに平和で豊かな社会に変貌させた祖父母たちができたのだから、我々ができないとは言い切れまい。

でもそのためには、**あなたの力が必要だ**。一人でも多くの人々が政策起業家となって、身の回りの不条理なルールを変え、新たなルールを生み出すことに貢献してほしいのだ。「政策起業家なんて、ハードル高いよ。自分みたいな普通の人が、法律やルールを変えたり創ったりだなんて、やっぱりできない」

そうあなたは言うかもしれない。しかし、こうは考えられないか。政策起業家が法律やルールを変えようとする時に、アンケートで世論を可視化しようとする。ネット署名でニーズを見える化しようとする。そのアンケートに答え、署名に一票を投じた時点で、あなたは既に政策起業家として歩み始めている、と。今の社会にあるルールを変えようというアクションを取ろうとしたその瞬間に、**我々は誰しも政策起業家の道を歩んでいる**のだ、と。

その道はどこまでも続いていて、長い旅路を進むことができる。だからベテランの旅人もいるし、ついこの間旅を始めた人だっている。けれど、旅人という意味ではみんな同じ。

政策起業家というのは、そうした旅人のようなものだ。旅の中に発見がある。驚きがあって、がっかりすることも時にあり、思わず拳を突き上げたくなる喜びの瞬間もある。旅の仲間たちに出会い嬉しくなり、見たことのない風景に出会うことで、自分の人生そのものが変わることだってある。

そういう意味では、「誰かのために」から始めた政策起業も、心躍る出会いと体験と成長をあなたにプレゼントしてくれる、あなただけのかけがえのない旅なのだ。

もう時間だ。あなたの心に、**小さな火を灯す**ために、僕はこの本を書いた。

地域の、子どもたちの、社会の未来のために、一歩を踏み出した旅人のあなたに、僕はいつ、どんな形で出会えるだろうか？

【付録】 日本の政策起業家リスト

本書では主に筆者の政策起業家としての軌跡を紹介していったが、政策起業的活動を行っている人は当然筆者だけではない。

以下に紹介する方々は、現在日本で代表的な政策起業家として政策起業を先導している人たちと言うことができるだろう。

◎天野妙　合同会社 Respect each other 代表／みらい子育て全国ネットワーク　代表

「保育園落ちた日本死ね!!!」が流行った2016年にちょうど第三子を出産。2017年「#保育園に入りたい」と、ポジティブな言葉で発信しよう！　と呼びかけ、キャンペーンを主導。Twitter で拡散され、その年の Twitter 社の広告ワードとして「#文春砲」「#トランプ」「#保育園に入りたい」が選ばれ、電車の中づり広告で山手線や中央線が「#保育園に入りたい」で埋め尽くされた。

その後、子育てしやすい社会の実現を政府に対し求めて「希望するみんなが保育園に入れる社会をめざす会」を設立し、署名キャンペーンでは「みんな#保育園に入りたい！

子ども子育て予算にプラス1・4兆円追加して、待機児童を解消してください」に1万9475筆、「幼児教育・保育無償化は本当に必要な人から。圧倒的に足りていない保育の量と質の拡充を同時に！」に3万8178筆など、声を集めて束にし、政策決定者に届け、子育て政策提案を各政党に訴え続けた。

　2018年10月に「みらい子育て全国ネットワーク」と名称を変更し、2019年3月の参議院予算委員会では公述人に選ばれ「待機児童ゼロ」と「男性の産休義務化」を訴え、筆者と共に男性の育休義務化アベンジャーズの一員として、政策実現に尽力した。

　また、子育て政策の決定スピードが遅いのは、意思決定の場に女性の比率が低い事を問題と考え、政治分野の女性比率を上げるべく、2014年から元文部科学大臣の赤松良子率いる「クオータ制を推進する会」の事務局も務め「政治分野における男女共同参画推進法」の制定に貢献。党派を超えた取り組みから、与野党の女性議員との繋がりも強い。

　大学では建築を専攻し、18年間建設不動産業界で会社員として働いていたが、マタハラ、パワハラ、セクハラなど様々な女性のキャリアの難所に当たった経験を基に、現在は、女性活躍推進とダイバーシティ促進支援を行う会社を妊娠9カ月で設立し、企業内の「ダイバーシティ&インクルージョン・公平性開発」「男性の育休取得促進」の取り組みを支援する事業など、各企業からのニーズに応えている。

◎小林りん　学校法人ユナイテッド・ワールド・カレッジISAKジャパン代表理事

2014年に軽井沢にて、全国初となる全寮制インターナショナルハイスクールを設立。世界80カ国以上から高校生が集まる同校では、生徒の7割に奨学金を給付し、「チェンジメーカー」の育成をミッションに掲げている（日経ウーマン・オブ・ザ・イヤー2015受賞。E&Yアントレプレナー・オブ・ザ・イヤー2019受賞。2児の母）。

彼女の政策起業の特徴は、既存の規制や枠組みをクリエイティブに解釈し、これまで不可能だと思われていたことを可能にしてしまう手法だろう。

例えば、9月入学。ISAKは、所謂インターナショナルスクールにもかかわらず日本の高等学校の資格も取得していることで知られているが、学校教育法に定められている4月開始という年度に従っていない。それでは世界中から生徒や教職員が集まらなくなるからだ。代わりに、いつでも入学できて単位が揃えば卒業できる「単位制高校」という体裁をとり、「たまたま全員が同時期に入学して、たまたま全員が同時期に単位を取得して卒業するのは違法ではない」という解釈で、日本の高等学校として初の9月入学を成立させてしまったのだ。

今では一般的になった、ふるさと納税を通じた社会的事業の支援に先鞭をつけたのも、実は彼女かも知れない。ISAKがふるさと納税に着目した2012年当初、ふるさと納税といえば、自治体が行う公共事業または地域おこし事業が対象だった。「ふるさと」納税なので当然といえば当然だ。しかし膨大な対象事業を徹底的に調査し「県立高校母校応援ふるさと納税」という「前例」を発見する。それが契機となり、軽井沢町との1年にわたる地道な交渉の末、ISAKが対象として認められ毎年億単位の奨学金を集め始めると、ふるさと納税は、学校やNPO団体によるファンドレイジングの手法として一気に広まっていった。

そんなISAKが開校後に抱えていた悩みは、学習指導要領だ。国際バカロレア（IB）というカリキュラムは、ISAK以前にも国内で実施している学校が複数あったが、学習指導要領の要求を同時に満たすために各校とも四苦八苦していた。学習指導要領全体の緩和は「ゆとり教育」への批判も未だ根強く、容易ではない。そこで彼女は、文科省の初等中等教育局教育課程課の現場の官僚と何度も膝を突き合わせて相談をし、IBが文科省によって高校卒業資格としては承認されていたことを根拠に、IB認定校に限って学校設定科目（学習指導要領に定めがなくても単位認定できる科目）を倍増するという省令改正を引き出す。これによって、文科省が全国に２００校設立を目指すＩＢ校のカリキュラム設計の自由度が、劇的に増すことになった。

◎小室淑恵　株式会社ワーク・ライフバランス 代表取締役社長

２００６年、長男を出産した３週間後に株式会社ワーク・ライフバランスを起業。働き方改革コンサルティングを１０００社以上に提供する。２０１１年には筆者との共著『２人が「最高のチーム」になる――ワーキングカップルの人生戦略』を刊行、これまでに34冊の書籍を刊行している（日経ウーマン・オブ・ザ・イヤー２００４受賞。２０１４年5月ベストマザー賞〈経済部門〉受賞。2児の母）。

彼女の働き方改革にかける情熱はすさまじい。いや、彼女自身が働き方改革精神の権化とも言うべきであろうか。

日本の労働基準法は制定されて70年間、労働時間の上限が定められていなかった。世界では、ＩＬＯ第一号条約で定められている労働時間の上限が、日本では批准されておらず、長時間労働者の割合は他国の2倍であり、過労死という言葉が「KAROSHI」と訳されるほど、日本の働き方は異常な状態にある。

これに対し、２０１４年９月、安倍内閣の産業競争力会議の民間議員８人のうちの１人に選ばれ、総理と官邸で会議をする中で真正面から「労働時間に上限の法律を作るべき」と発言する。当然、経済界から猛反発を受けるが、経済界の重鎮一人一人を個別説得し「労働時間革命宣言」に署名を集めていく。２０１６年５月、安倍総理にアポを取り説得。働き方改革担当大臣の誕生につなげる。２０１８年、働き方改革関連法案が国会に提出された際には参考人として答弁に立ち、法案は国会を通過。日本の労働基準法の歴史上はじめて労働時間の上限が設定された改正労働基準法が、２０１９年４月に施行された。

また、様々な業種業界にわたる１０００社のコンサル結果から、行政と取引のある企業ほど長時間労働であることをつきとめ、日本の長時間労働の震源地である政府の働き方を変えるべく、２０２０年８月「コロナ禍における政府・省庁の働き方に関する実態調査」を行い、官僚の４割が１００時間を超える残業をしている実態をあぶり出し、河野太郎行革大臣に２万７０００人の署名を届ける。２０２１年３月、「コロナ禍における中央省庁の残業代支払い実態調査」を行い、官僚の３割が残業代を正しく払われていない実態を明らかにし、その原因となっている国会質問通告の遅い国会議員に改善を促すなど、ありとあらゆる働き方を変えるために邁進している。

◎**藤沢烈**　一般社団法人RCF代表理事

コンサルティング企業マッキンゼー社出身の藤沢氏は、3つの観点から政策起業家として活動している。

1つ目は、災害復興。非営利組織であるRCFの代表として、この10年一貫して東北復興に関与。岩手県釜石市でUBSグループとともにコミュニティ支援事業を実施したことをモデルとして、福島県双葉町と大熊町へ横展開。その後、福島県庁に政策提言をおこない、原発避難者向けの大規模なコミュニティ支援事業につなげた。

また復興人材が不足していることにいち早く注目し、日本財団や復興庁とともに人材マッチング事業（WORK FOR 東北）を開始。この事業をモデルとして、福島県原発避難地域での人材マッチング事業を経済産業省に政策提言し、また実行を支援した。全国各地の災害復興でも政策提言。2018年西日本豪雨災害で被災した愛媛県宇和島市や、2021年九州豪雨災害で被災した熊本県人吉市の復興計画策定委員にもなり、官民連携による復興を提言し、推進している。復興庁事務次官であった岡本全勝氏との共著『東日本大震

災　復興が日本を変える』（ぎょうせい）では、政府とNPOの協働の重要性が記されている。

2つ目は、NPO政策。筆者とともに、社会起業家の日本初の業界組織であり、政策提言をミッションとした「新公益連盟」を発足。一貫して事務局長を務め、3つの政策形成に関わった。1つは国家公務員のNPO兼業解禁。官僚が社会課題の現場を知り、またNPOが政策形成プロセスを知ることにつなげた。

1つは「コレクティブインパクト」の骨太の方針への記載。NPO・行政・企業が対等に社会課題解決にむけて協働することの重要性が、全国に広がった。さらに、不動産や株式をNPOに寄付する場合の優遇措置。寄付をすると寄付者に税（みなし譲渡課税）がかかる仕組みを回避し、NPOへの寄付を行いやすい環境につなげた。

3つ目は、あらゆるセクターとNPOの連携促進。例えばJリーグ理事に就任しており、サッカークラブと行政や地域の連携を促進。大手会計事務所であるPwCグループのPwC財団理事に就任し、課題提起型の企業財団モデルを推進。複数省庁の委員を務める他、自民党財政再建本部アドバイザーを務めたり、自民党若手中堅議員による勉強会のオブザーバーを務めている（経緯は『人生100年時代の国家戦略　小泉小委員会の500日』（東洋経済新報社〉に詳しい)。

幅広い分野の組織とのつながりを活かして、政策起業家としての取り組みを進めている。

政策起業を学ぶ書籍リスト

○**『アジェンダ・選択肢・公共政策――政策はどのように決まるのか』**(ジョン・キングダン著・笠京子訳・勁草書房・2017年)

政策起業家という概念が広まるきっかけとなった、古典的な名著。専門書なので読みづらくはあるが、ちゃんと勉強したい方にはお勧め。「政策の窓」(本書第6章p206の記述)モデルはこの本に描かれている。

○**『政策立案の技法――問題解決を「成果」に結び付ける8つのステップ』**(ユージン・バーダック著・白石賢司他訳・東洋経済新報社・2012年)

カリフォルニア大学バークレー校ゴールドマン公共政策大学院で長年用いられてきた政策立案の実践的な手引き。「政策分析の8ステップ」というフレームワークを紹介してくれていて、政策起業を行う際にも参考になる。

○『**シンクタンクとは何か——政策起業力の時代**』(船橋洋一著・中公新書・2019年)

本書のプロローグでも登場した船橋洋一氏の著作。この本において船橋氏は革新的なアイデアをもとに政策を提言し、社会を動かしてきた海外のシンクタンクを取り上げ、日本が「シンクタンク小国」であることを嘆く。一方で、日本でもNPO等在野の中に政策起業家たちがいることを示し、こうした政策起業家たちが増えることによって、ダイナミックに政策を変えていける、という希望を示す。また、PEP(政策起業家プラットフォーム)を主宰し、日本に「政策起業家」のコンセプトを紹介し、広めようと活動を行っている。

○『**未来を実装する——テクノロジーで社会を変革する4つの原則**』(馬田隆明著・英治出版・2021年)

テクノロジーはテクノロジー単体で社会に広がるのではなく、それを許容し、広げてくれる制度や法律がなければ広がらないんだ、ということがよく分かる一冊。そして、この本の中では以下のような一節がある。

「ソーシャルセクターの一部では政策起業力が培われてきています。いわば、ソーシャルセクターにおいてゼロを1にすることが社会起業であり、1から10への規模拡大の際に必要とされる力が政策起業力だと言えるでしょう」

本書『政策起業家』を読んで下さった方は、まさに馬田氏のこの指摘にうなずくのではなかろうか。そして政策起業の力は、ソーシャルセクターだけでなく、ビジネスセクターにおいても重要になってきていることを、本書では教えてくれるのだ。

○『**社会をちょっと変えてみた——ふつうの人が政治を動かした七つの物語**』（駒崎弘樹／秋山訓子著・岩波書店・2016年）

手前味噌になりますが、日本の草の根のロビイング・政策起業の事例を紹介した一冊です。後半には「どうやって地方議員のところに話を持っていくのか」等、マニアックなノウハウが入っているので、自分もやってみたい、という方は是非。

謝辞

この本を書くにあたって、以下の方々に改めて「ありがとう」を申し上げたい。

パートタイムの官僚に僕を政治的任用してくれた松井孝治元官房副長官に。

カウンターパートとして対応してくださった官僚の皆さんに。

政策提言を受け止めてくれている政治家の皆さんに。

船橋洋一さん率いる政策起業家プラットフォーム（ＰＥＰ）の皆さんに。

ソーシャルアクションを共に仕掛けてくれるＮＰＯ／政策起業家仲間に。

フローレンスシンクタンクチームと政策アドバイザーの仲間たちに。

いつも共に闘ってくれている、愛するフローレンス社員・関係者のみんなに。

我々を信じて、心からの支援を託してくださる寄付者・支援者の皆さんに。

地方議員として奮闘する妻と、生きる意味を教えてくれた娘と息子に。

ちくま新書
1625

政策起業家《せいさくきぎょうか》
――「普通《ふつう》のあなた」が社会《しゃかい》のルールを変《か》える方法《ほうほう》

二〇二二年一月一〇日　第一刷発行

著　者　駒崎弘樹（こまざき・ひろき）

発行者　喜入冬子

発行所　株式会社　筑摩書房
東京都台東区蔵前二-五-三　郵便番号一一一-八七五五
電話番号〇三-五六八七-二六〇一（代表）

装幀者　間村俊一

印刷・製本　三松堂印刷　株式会社

本書をコピー、スキャニング等の方法により無許諾で複製することは、法令に規定された場合を除いて禁止されています。請負業者等の第三者によるデジタル化は一切認められていませんので、ご注意ください。
乱丁・落丁本の場合は、送料小社負担でお取り替えいたします。
© KOMAZAKI Hiroki 2022　Printed in Japan
ISBN978-4-480-07450-8 C0231

784
働き方革命
——あなたが今日から日本を変える方法
駒崎弘樹
仕事に人生を捧げる時代は過ぎ去った。「働き方」の枠組みを変えて少ない時間で大きな成果を出し、家庭や地域社会にも貢献する新しいタイプの日本人像を示す。

800
コミュニティを問いなおす
——つながり・都市・日本社会の未来
広井良典
高度成長を支えた古い共同体が崩れ、個人の社会的孤立が深刻化する日本。人々の「つながり」をいかに築き直すかが最大の課題だ。幸福な生の基盤を根っこから問う。

802
心理学で何がわかるか
村上宣寛
性格と遺伝、自由意志の存在、知能のはかり方……。これらの問題を考えるには科学的方法が必要だ。俗説や疑似科学を退け、本物の心理学を最新の知見で案内する。

809
ドキュメント 高校中退
——いま、貧困がうまれる場所
青砥恭
高校を中退し、アルバイトすらできない貧困状態へと落ちていく。もはやそれは教育問題ではなく、社会を揺るがす問題である。知られざる高校中退の実態に迫る。

817
教育の職業的意義
——若者、学校、社会をつなぐ
本田由紀
このままでは、教育も仕事も、若者たちにとって壮大な詐欺でしかない。教育と社会との壊れた連環を修復し、日本社会の再編を考える。

880
就活エリートの迷走
豊田義博
超優良企業の内定をゲットした「就活エリート」。彼らが入社後に、ことごとく戦力外の烙印を押されている……。採用現場の表と裏を分析する驚愕のレポート。

883
ルポ 若者ホームレス
飯島裕子
ビッグイシュー基金
近年、貧困が若者を襲い、20～30代のホームレスが激増している。彼らはなぜ路上暮らしへ追い込まれたのか。貧困が再生産される社会構造をあぶりだすルポ。

ちくま新書

887
キュレーションの時代
――「つながり」の情報革命が始まる
佐々木俊尚
テレビ・新聞・出版・広告――マスコミ消滅後、情報はどう選べばいいか？ 人の「つながり」で情報を共有する時代の本質を抉る、渾身の情報社会論。

896
一億総うつ社会
片田珠美
いまや誰もがうつになり得る時代になった。「心の風邪」が蔓延する背景には過剰な自己愛と、それを許す社会の病理がある。薬に頼らずに治す真の処方箋を提示する。

900
日本人のためのアフリカ入門
白戸圭一
負のイメージで語られることの多いアフリカ。しかし、それらはどこまで本当か？ メディアの在り方を問い直しつつ「新しいアフリカ」を紹介する異色の入門書。

914
創造的福祉社会
――「成長」後の社会構想と人間・地域・価値
広井良典
経済成長を追求する時代は終焉を迎えた。「平等と持続可能性と効率性」の関係はどう再定義されるべきか。日本再生の社会像を、理念と政策とを結びつけ構想する。

939
タブーの正体！
――マスコミが「あのこと」に触れない理由
川端幹人
電力会社から人気タレント、皇室タブーまで、マスコミ各社が過剰な自己規制に走ってしまうのはなぜか？『噂の眞相』元副編集長がそのメカニズムに鋭く迫る！

941
限界集落の真実
――過疎の村は消えるか？
山下祐介
「限界集落はどこも消滅寸前」は嘘である。危機を煽り立てるだけの報道や、カネによる解決に終始する政府の過疎対策の誤りを正し、真の地域再生とは何かを考える。

955
ルポ 賃金差別
竹信三恵子
パート、嘱託、派遣、契約、正規……。同じ仕事内容でも、賃金に差が生じるのはなぜか？ 非正規雇用という現代の「身分制」をえぐる、衝撃のノンフィクション！

971
夢の原子力
――Atoms for Dream
吉見俊哉
戦後日本は、どのように原子力を受け入れたのか。核戦争の「恐怖」から成長の「希望」へと転換する軌跡を、緻密な歴史分析から、ダイナミックに抉り出す。

981
脳は美をどう感じるか
――アートの脳科学
川畑秀明
なぜ人はアートに感動するのだろうか。モネ、ゴッホ、フェルメール、モンドリアン、ポロックなどの名画を題材に、人間の脳に秘められた最大の謎を探究する。

992
「豊かな地域」はどこがちがうのか
――地域間競争の時代
根本祐二
低成長・人口減少の続く今、地域間の「パイの奪いあい」が激化している。成長している地域は何がちがうのか？北海道から沖縄まで、11の成功地域の秘訣を解く。

995
東北発の震災論
――周辺から広域システムを考える
山下祐介
中心のために周辺がリスクを負う「広域システム」。その巨大で複雑な機構が原発問題や震災復興を困難に追い込んでいる現状を、気鋭の社会学者が現地から報告する。

1001
日本文化の論点
宇野常寛
私たちは今、何に魅せられ、何を想像／創造しているのか。私たちの文化と社会はこれからどこへ向かうのか。人間と社会との新しい関係を説く、渾身の現代文化論！

1020
生活保護
――知られざる恐怖の現場
今野晴貴
高まる生活保護バッシング。その現場では、いったい何が起きているのか。自殺、餓死、孤立死……。追いつめられ、命までも奪われる「恐怖の現場」の真相に迫る。

1027
商店街再生の罠
――売りたいモノから、顧客がしたいコトへ
久繁哲之介
「大型店に客を奪われた」は幻想！　B級グルメ、商店街を利用しない公務員、ゆるキャラなど数々の事例から、商店街衰退の真実と再生策を導き出す一冊。

ちくま新書

1028
関東連合
——六本木アウトローの正体
久田将義
東京六本木で事件が起こるたび囁かれる「関東連合」。彼らはいったい何者なのか。その成り立ちから人脈まで、まったく新しい反社会的ネットワークの正体に迫る。

1029
ルポ 虐待
——大阪二児置き去り死事件
杉山春
なぜ二人の幼児は餓死しなければならなかったのか？現代の奈落に落ちた母子の人生を追い、女性の貧困を問うルポルタージュ。信田さよ子氏、國分功一郎氏推薦。

1035
大衆めし 激動の戦後史
——「いいモノ」食ってりゃ幸せか？
遠藤哲夫
「ありふれたものをおいしく食べる」。七〇年代以降、資本流入や流通の変化による「食」の激動の中で、自分の「めし」をハンドリングするための、生活めし論考。

1038
1995年
速水健朗
1995年に、何が終わり、何が始まったのか。大震災とオウム事件の起きた「時代の転機」を読みとき、その全貌を描く現代史！ 現代日本は、ここから始まる。

1053
自閉症スペクトラムとは何か
——ひとの「関わり」の謎に挑む
千住淳
他者や社会との「関わり」に困難さを抱える自閉症。その原因は何か。その障壁とはどのようなものか。診断・遺伝・発達などの視点から、脳科学者が明晰に説く。

1064
日本漁業の真実
濱田武士
減る魚資源、衰退する漁村、絶えない国際紛争……。漁業は現代を代表する「課題先進産業」だ。その漁業に何が起きているのか。知られざる全貌を明かす決定版！

1066
使える行動分析学
——じぶん実験のすすめ
島宗理
仕事、勉強、恋愛、ダイエット……。できない、守れないのは意志や能力の問題じゃない。行動分析学の理論で推理し行動を変える「じぶん実験」で解決できます！

1067
男子の貞操
――僕らの性は、僕らが語る
坂爪真吾

男はそんなにエロいのか？　初体験・オナニー・風俗・童貞など、様々な体験を交えながら、男の性の悩みを一刀両断する。学校では教えてくれない保健体育の教科書。

1068
定年がやってくる
――妻の本音と夫の心得
青木るえか

定年を迎えるお父さん。お疲れ様でした。これからも夫婦仲良く手を取り支え合って暮らしていきましょう。暮らしていけたらいいな……。暮らしてゆけるかしら？

1072
ルポ 高齢者ケア
――都市の戦略、地方の再生
佐藤幹夫

独居高齢者や生活困窮者が増加する「都市」、人口減や市街地の限界集落化が進む「地方」。正念場を迎えた「高齢者ケア」について、先進的事例を取材して考える。

1078
日本劣化論
笠井潔
白井聡

幼稚化した保守、アメリカと天皇、反知性主義の台頭、左右の迷走、日中衝突の末路……。戦後日本は一体どこまで堕ちていくのか？　安易な議論に与せず徹底討論。

1090
反福祉論
――新時代のセーフティーネットを求めて
金菱清
大澤史伸

福祉に頼らずに生き生きと暮らす、生活困窮者やホームレス。制度に代わる保障を発達させてきた彼らの生活実践に学び、福祉の限界を超える新しい社会を構想する。

1091
もじれる社会
――戦後日本型循環モデルを超えて
本田由紀

もじれる＝もつれ＋こじれ。行き詰まり、閉々とした状況にある日本社会の見取図を描き直し、教育・仕事・家族の各領域が抱える問題を分析、解決策を考える。

1100
地方消滅の罠
――「増田レポート」と人口減少社会の正体
山下祐介

「半数の市町村が消滅する」は嘘だ。「選択と集中」などという論理を振りかざし、地方を消滅させようとしているのは誰なのか。いま話題の増田レポートの虚妄を暴く。

ちくま新書

1113
日本の大課題 子どもの貧困
——社会的養護の現場から考える
池上彰 編
格差が極まるいま、家庭で育つことができない子どもが増えている。児童養護施設の現場から、子どもの貧困についての実態をレポートし、課題と展望を明快にえがく。

1114
これだけは知っておきたい 働き方の教科書
安藤至大
いま働き方の仕組みはどうなっているか？ これからどう変わり、どう備えるべきなのか？ 法律と労働経済学の見地から、働くことにまつわる根本的な疑問を解く。

1129
地域再生の戦略
——「交通まちづくり」というアプローチ
宇都宮浄人
地方の衰退に伴い、鉄道やバスも消滅の危機にある。再生するためには「まち」と「公共交通」を一緒に変えるしかない。日本の最新事例をもとにその可能性を探る。

1148
文化立国論
——日本のソフトパワーの底力
青柳正規
グローバル化の時代、いま日本が復活するカギは「文化」にある！ 外国と日本を比較しつつ、他にはない日本独特の伝統と活力を融合させるための方法を伝授する。

1163
家族幻想
——「ひきこもり」から問う
杉山春
現代の息苦しさを象徴する「ひきこもり」。閉ざされた内奥では何が起きているのか？〈家族の絆〉という神話に巨大な疑問符をつきつける圧倒的なノンフィクション。

1205
社会学講義
橋爪大三郎／佐藤郁哉／吉見俊哉
大澤真幸／若林幹夫／野田潤
社会学とはどういう学問なのか？ 基本的な視点から説き起こし、テーマの見つけ方・深め方、フィールドワークの手法までを講義形式で丁寧に解説。入門書の決定版。

1233
ルポ 児童相談所
——一時保護所から考える子ども支援
慎泰俊
自ら住み込み、100人以上の関係者に取材し「一時保護所」の現状を浮かび上がらせ、課題解決策を探る。若き社会起業家による、社会的養護の未来への提言。

ちくま新書

1235
これが答えだ！ 少子化問題
赤川学
長年にわたり巨額の税金を投入しても一向に改善しない少子化問題。一体それはなぜか。少子化対策をめぐるパラドクスを明らかにし、この問題に決着をつける！

1242
ＬＧＢＴを読みとく
――クィア・スタディーズ入門
森山至貴
広まりつつあるＬＧＢＴという概念。しかし、それだけでは多様な性は取りこぼされ、マイノリティに対する差別もなくならない。正確な知識を得るための教科書。

1265
僕らの社会主義
國分功一郎
山崎亮
いま再びグランド・セオリーが必要とされているのではないか？ マルクス主義とは別の「あったかもしれない社会主義」の可能性について気鋭の論客が語り尽くす。

1288
これからの日本、これからの教育
前川喜平
寺脇研
二人の元文部官僚が「加計学園」問題を再検証し、生涯学習やゆとり教育、高校無償化、夜間中学など一連の改革をめぐってとことん語り合う、希望の書！

1371
アンダークラス
――新たな下層階級の出現
橋本健二
就業人口の15％が平均年収186万円。この階級の人々はどのように生きているのか？ 若年・中年、女性、高齢者とケースにあわせ、その実態を明らかにする。

1414
武器としての世論調査
――社会をとらえ、未来を変える
三春充希
内閣支持率は西高東低。野党支持は若年層で伸び悩み。世論調査を精緻に見ていけば、この社会の全体像が見えてくる。仕組みの理解から選挙への応用まで！

1422
教育格差
――階層・地域・学歴
松岡亮二
親の学歴や居住地域など「生まれ」によって、子どもの学歴・未来は大きく変わる。本書は、就学前から高校まで教育格差を緻密に検証し、採るべき対策を提案する。

1433
ソーシャルワーカー
――「身近」を革命する人たち
井手英策／柏木一惠／加藤忠相／中島康晴

悲惨に立ち向かい、身近な社会を変革するソーシャルワーカー。人を雑に扱う社会から決別し、死ぬまで人間らしく生きられる社会へ向けて提言した入魂の書！

1489
障害者差別を問いなおす
荒井裕樹

「差別はいけない」。でも、なぜ「いけない」のかを言葉にする時、そこには独特の難しさがある。その理由を探るため差別されてきた人々の声を拾い上げる一冊。

1490
保育園に通えない子どもたち
――「無園児」という闇
可知悠子

保育園にも幼稚園にも通えない「無園児」の家庭に潜む闇を、丹念な研究と取材で明らかにした問題作。NPO法人フローレンス代表、駒崎弘樹氏との対談も収録。

1521
ルポ 入管
――絶望の外国人収容施設
平野雄吾

「お前らを日本から追い出すために入管（ここ）があるんだ」。密室で繰り広げられる暴行、監禁、医療放置――。巨大化する国家組織の知られざる実態。

1558
介助の仕事
――街で暮らす／を支える
立岩真也

大勢の人が介助を必要としていてもその担い手がいない。どうすればいいのか。介助の仕事のあり方から制度のことまで、利用者にとっても大事なことを語り尽くす。

1612
格差という虚構
小坂井敏晶

学校は格差再生産装置であり、遺伝・環境論争は階級闘争だ。近代が平等を掲げる裏には何が隠されているのか。格差論の誤解を撃ち、真の問いを突きつける。

1058
定年後の起業術
津田倫男

人生経験豊かなシニアこそ、起業すべきである――第二の人生を生き甲斐のあふれる実り豊かなものにしたいあなたに、プロが教える、失敗しない起業のコツと考え方。

ちくま新書

1130
40代からのお金の教科書
栗本大介
子どもの教育費、住宅ローン、介護費用、老後の準備、相続トラブル。取り返しのつかないハメに陥らないために、「これだけは知っておきたいお金の話」を解説。

1138
ルポ 過労社会 ——八時間労働は岩盤規制か
中澤誠
長時間労働が横行しているのに、さらなる規制緩和は必要なのか？ 雇用社会の死角をリポートし、「働きすぎの日本人」の実態を問う。佐々木俊尚氏、今野晴貴氏推薦。

1270
仕事人生のリセットボタン ——転機のレッスン
為末大
中原淳
これまでと同じように仕事をしていて大丈夫？ 右肩上がりではなくなった今後を生きていくために、自分の生き方を振り返り、明日からちょっと変わるための一冊。

1275
ゆとり世代はなぜ転職をくり返すのか？ ——キャリア思考と自己責任の罠
福島創太
いま、若者の転職が増えている。本書ではゆとり世代の若者たちに綿密なインタビューを実施し、分析。また、彼らをさらなる転職へと煽る社会構造をあぶり出す！

1283
ムダな仕事が多い職場
太田肇
日本の会社は仕事にムダが多い。顧客への過剰なサービス、不合理な組織体質への迎合は、なぜ排除されないのか？ ホワイトカラーの働き方に大胆にメスを入れる。

1302
働く女子のキャリア格差
国保祥子
脱マミートラック！ 産み、働き、活躍するために必要な職場・個人双方の働き方改革を具体的に提案。育休取得者四〇〇〇人が生まれ変わった思考転換メソッドとは？

1305
ファンベース ——支持され、愛され、長く売れ続けるために
佐藤尚之
「ファンベース」とは、ファンを大切にし、ファンをベースにして、中長期的に売上や価値を上げていく考え方である。今、最も大切なマーケティングはこれだ！